D0625923

La spiritualité de l'Arche

Une présence révélée au quotidien

A19 .504

Jean Vanier

La spiritualité de l'Arche

Une présence révélée au quotidien

NOVALIS

Bayard Éditions/Centurion

La spiritualité de l'Arche
est publié par Novalis et Bayard Éditions/Centurion

Couverture: De Pasquier inc.

Photographies: couverture, Stéphane Ouzonoff;
W P Wittman, p. 12; autres photos, L'Arche.

Éditique: Gilles Lépine

© Copyright 1995: Novalis, Université Saint-Paul, Ottawa

Dépôts légaux: 2e trimestre 1995
Bibliothèque nationale du Canada
Bibliothèque nationale du Québec

Novalis
C.P. 990, Outremont (Québec) H2V 4S7
ISBN: 2-89088-730-8

Bayard Éditions/Centurion
41, rue François-1er, 75008 Paris
ISBN: 2 227 436 29 8

Imprimé au Canada

Données de catalogage avant publication (Canada)

Vanier, Jean, 1928-
La spiritualité de l'Arche : une présence révélée
au quotidien

(Collection l'Arche)

Publ. aussi en anglais sous le titre: The heart of L'Arche

ISBN 2-89088-730-8

1. Vie spirituelle. 2. Humanité (Morale) —
Aspect religieux—Christianisme. 3. Arche
(Association). 4. Pastorale des handicapés mentaux.
I. Titre. II. Collection.

BX2350.65.V3614 1995 248.4'8 C95-900380-0

Introduction

C'est en août 1964 que, soutenu et aidé par le Père Thomas Philippe, j'ai commencé à vivre avec Raphaël Simi et Philippe Seux. Cette vie simple avec des personnes souffrant d'un handicap mental m'a transformé. Jusque là, je vivais surtout au niveau de ma tête et de ma volonté; j'avais des barrières intérieures pour cacher mes peurs et protéger ma sensibilité. À l'Arche, j'ai appris à vivre au niveau du cœur.

Ces trente ans[1] ont été pour moi des années de grande joie, dans lesquelles mon cœur et mon intelligence se sont épanouis, même si évidemment il y a eu des moments difficiles. J'ai beaucoup appris sur le cœur humain et ses besoins, mais aussi sur sa peur de la communion. J'ai beaucoup appris sur l'Évangile et sur la vie et la personne de Jésus. L'Arche a été pour moi une école de vie.

---

[1] Pour l'histoire de l'Arche, son approfondissement et son expansion dans le monde, voir dans cette collection *L'histoire de l'Arche* (Novalis/Centurion, 1995).

Nos sociétés considèrent les personnes avec un handicap mental comme des «ratés» de la nature, des «sous-humains». Dans une famille, la naissance d'un enfant avec un handicap apparaît comme un drame. À l'Arche, nous découvrons le cœur, la capacité d'amour de ces personnes qui nous révèlent notre humanité. Vivre avec elles est parfois difficile, mais cette vie communautaire nous transforme et nous aide à découvrir l'essentiel. Nous venons pour aider des plus faibles, mais découvrons qu'ils nous aident.

La vie à l'Arche est exigeante. Elle implique des renoncements: un moindre salaire, de longues heures de travail, un renoncement à certains biens culturels et à certaines amitiés. Mais on y reçoit beaucoup: une vie communautaire, la découverte qu'on est aimé, que la vie a un sens et que la foi, la compétence et l'engagement social sont liés. L'Arche est un lieu de croissance humaine et spirituelle.

L'Arche est un don de Dieu pour notre époque où les gens sont de plus en plus séduits par la technologie, les connaissances intellectuelles et scientifiques; ils oublient le cœur et l'humain ou sombrent dans la tristesse et le désespoir. Nos sociétés cherchent souvent à supprimer les faibles sous prétexte qu'ils dérangent et coûtent trop cher. À travers l'Arche, Dieu veut rappeler le sens le plus profond de notre humanité: nous sommes faits pour aimer et mettre toutes nos capacités au service de la construction d'une société plus aimante où chacun trouve sa place.

Nos communautés veulent témoigner, dans la société et dans l'Église, de l'amour de Dieu qui voit les cœurs et accueille notre faiblesse. L'amour de Dieu est bonté, tendresse et pardon. L'Arche n'est pas d'abord une solution à un problème social; elle est le signe que les êtres humains ne sont pas condamnés à la guerre et à la lutte où les forts écrasent toujours les faibles; l'amour est possible. Chaque personne humaine est précieuse et sacrée.

L'Arche est une famille inspirée et formée par Dieu. Une famille implique un esprit, une vision, une raison d'être ensemble, une spiritualité. Cela est particulièrement vrai pour des familles inspirées et formées par un appel de Dieu et non basées sur des liens de sang. Une spiritualité est une façon de vivre qui entraîne des choix et des priorités. Chaque religion a une spiritualité, une façon de vivre et de cheminer vers Dieu. Il y a une spiritualité chrétienne qui prend sa source dans l'Évangile. Mais il y a de mutliples façons de vivre l'Évangile.

À travers l'histoire, l'Esprit Saint n'a cessé de susciter, selon les besoins des temps et des cultures, des hommes et des femmes pour former de nouvelles familles qui témoignent de l'amour de Dieu et de la résurrection de Jésus. En Orient comme en Occident, aux débuts de l'Église, les Pères du désert et les familles monastiques ont développé une spiritualité mettant l'accent sur une forme de prière, la vie communautaire, l'obéissance et la liturgie. Par la suite, les familles franciscaines ont insisté sur la pauvreté et la présence de Dieu dans la nature et dans les pauvres. Différentes spiritualités d'engagement sont présentes dans la société, une spiritualité du mariage et tant d'autres. Toutes ces spiritualités ont le même fondement: l'Évangile et la vie de Jésus. Chacune est un chemin de croissance dans l'amour et de libération des peurs, qui mène à la communion avec Jésus et avec les êtres humains.

L'Arche a été suscitée par l'Esprit Saint, à travers le Père Thomas Philippe, pour révéler à notre époque que l'essentiel de l'être humain ne se trouve pas dans les connaissances mais dans l'amour. Pour cela, Dieu a choisi de se manifester d'une façon particulière à travers des personnes souffrant d'un handicap mental, leur faiblesse, leur simplicité, leur cœur.

Ce livre que j'écris après trente ans d'existence de l'Arche veut expliciter les éléments essentiels de cette spiritualité que beaucoup vivent tous les jours dans nos différentes communautés. Je l'écris avec mon expérience, ma sensibilité, mon langage. D'autres à l'Arche accentueraient peut-être des éléments différents, à partir de leur expérience, leur sensibilité et leur langage. Cet ouvrage décrit ce chemin d'unité, de paix, de réconciliation et de libération que Jésus nous a donné en vivant avec des personnes appauvries par le handicap. D'autres chrétiens vivent avec d'autres personnes souffrantes et faibles qui ne pourront jamais atteindre une autonomie complète: les personnes vieillissantes et mourantes, les malades du sida, les personnes ayant une maladie mentale, etc. J'espère que cet essai sur la spiritualité de l'Arche pourra les aider aussi à vivre leur appel.

L'Arche constitue une nouvelle famille dans la grande famille chrétienne, dans le peuple de Dieu. Certaines communautés de l'Arche sont interreligieuses. En Inde, nos communautés rassemblent des chrétiens, des hindous et des musulmans. Chacun s'enracine dans sa religion propre. Chez des hommes comme le mahatma Gandhi, on trouve une spiritualité proche de celle de l'Arche, où les petits, ceux qui souffrent et sont rejetés, sont signe et présence de Dieu. En s'approchant du pauvre, en entrant en alliance avec lui, on s'approche de Dieu. Cependant, ce livre explicite davantage la spiritualité de l'Arche dans ses fondements bibliques: le message et la vie de Jésus transmis par l'Évangile.

Une question de langage

Depuis trente ans le langage a beaucoup évolué. On parlait naguère d'«inadaptés», de «retardés», de «déficients mentaux». Aujourd'hui, on emploie l'expression «personnes avec des difficultés d'apprentisage». Chaque pays, chaque culture, chaque époque trouve son langage. Ce changement marque le désir d'affirmer que la personne avec un handicap mental est avant tout *une personne*, digne de respect et appelée à partager les dons qu'elle a reçus.

Dans ce texte, j'ai gardé le terme «personne avec un handicap mental» ou «personne souffrant d'un handicap». Ce sont des personnes, avec toutes les implications que cela comporte. Chaque personne est unique et importante. Mais il y a une différence. Certaines personnes viennent ou sont envoyées à l'Arche à cause de leur handicap; d'autres choisissent librement de venir et de vivre avec elles. Un fonction importante du langage est de signifier la différence tout en respectant la personne.

Parfois, aujourd'hui, on a du mal à accepter des mots évangéliques comme «le pauvre» et «le faible». Le pauvre est souvent vu comme pauvre économiquement. Mais un homme sans travail, une mère qui vient de perdre un enfant, sont aussi des pauvres. Le pauvre est celui qui est dans le besoin, qui reconnaît ce besoin et qui appelle au secours. La faiblesse est souvent considérée un défaut. Mais ne sommes-nous pas tous faibles et dans le besoin sous un aspect? Nous sommes tous vulnérables; nous avons tous nos limites et nos handicaps. Quand nous reconnaissons nos faiblesses, nous pouvons demander de l'aide; nous pouvons travailler ensemble. Le faible a besoin du fort mais, nous le découvrons à l'Arche, le fort a aussi besoin du faible. Dans ce livre, j'utilise parfois les termes «le pauvre» et «le faible», même s'ils vont à l'encontre de certaines normes actuelles qui veulent que tout le monde soit fort.

Remerciements

Je voudrais remercier tout spécialement Claire de Miribel. Par son travail et sa connaissance du français et de la spiritualité de l'Arche, elle a beaucoup amélioré ce texte.

Je voudrais également remercier les personnes suivantes qui ont relu le texte et qui ont apporté des suggestions constructives, ce qui fait que le texte est issu de beaucoup d'entre nous: Robert Larouche, Émile Marolleau, David Wilson, Michel Bacq, s.j., Isabelle Robert, Yvon Lepage, Sœur Hélène de la communauté de Grandchamp.

© W P Wittman

*Conférence de Jean Vanier à Regina Mundi Farm,
Sharon (Ontario), 1990.*

I

LE MYSTÈRE DE JÉSUS

Toute spiritualité chrétienne trouve son fondement en Jésus. À l'Arche, nous vivons d'une façon particulière le mystère de Jésus faible et qui est allé vers les faibles.

Jésus est venu en effet pour annoncer une bonne nouvelle aux pauvres. Il a explicité sa mission dans la synagogue de Nazareth, en reprenant à son compte les paroles d'Isaie:

L'Esprit du Seigneur est sur moi.
Il m'a consacré
pour annoncer une bonne nouvelle aux pauvres,
la délivrance aux captifs, la vue aux aveugles,
la liberté aux opprimés.

(*Isaïe* 61, 1; *Luc* 4, 18)

C'est à l'Arche que j'ai pris conscience de ce qu'est une *bonne nouvelle* pour des pauvres.

Au temps de Jésus, il y avait beaucoup de personnes pauvres, opprimées, aveugles, rejetées; beaucoup de lépreux souffrant non seulement de leurs ulcères mais aussi du mépris et du rejet de la société. Ils étaient «intouchables»; les toucher rendait impur. Leur handicap était considéré comme une punition de Dieu. Toutes ces personnes étaient exclues, enfermées dans la tristesse, dans des sentiments de culpabilité et une image cassée d'elles-mêmes. Elles n'avaient ni avenir ni espérance.

Il y avait également des riches, qui détenaient le pouvoir. Ils étaient satisfaits d'eux-mêmes. Ils avaient réussi; ils avaient des privilèges et des biens; ils se croyaient bénis de Dieu.

Deux mondes séparés par un mur: les riches tendant à mépriser les pauvres, les pauvres tendant à s'enfermer dans ce rejet et dans leur tristesse. Dans une de ses paraboles, Jésus a décrit ces deux mondes.

> Il y avait un homme riche qui se revêtait de pourpre et de lin fin et faisait chaque jour brillante chère. Et il y avait un pauvre, nommé Lazare; il gisait près de son portail, tout couvert d'ulcères. Lazare aurait bien voulu se rassasier de ce qui tombait de la table du riche...
>
> Or il advint que le pauvre mourut et fut emporté par les anges dans le sein d'Abraham. Le riche aussi mourut, et on l'ensevelit. Dans l'Hadès, en

proie à des tortures, il lève les yeux et voit de loin Abraham et Lazare en son sein. Alors il s'écria: «Père Abraham, aie pitié de moi et envoie Lazare tremper dans l'eau le bout de son doigt pour me rafraîchir la langue, car je suis tourmenté dans cette flamme.»

Abraham répondit: «Entre nous et vous un grand abîme a été fixé, afin que ceux qui voudraient passer d'ici chez vous ne le puissent, et qu'on ne traverse pas non plus de là-bas chez nous.» (*Luc* 16, 19-26)

Jésus a mangé avec les riches, avec Simon le Pharisien et avec Zachée. Il les a appelés à changer, à ne plus mépriser les pauvres ni les considérer comme inférieurs, mais à partager leurs biens avec eux. Il ne leur a pas nécessairement demandé de vendre leur maison mais d'ouvrir leur cœur aux pauvres. Après sa rencontre avec Jésus, Zachée décida de donner la moitié de ses biens aux pauvres.

Les paroles de Jésus sont claires:

Bénis, vous les pauvres,
car le Royaume de Dieu est à vous.
Bénis, vous qui avez faim maintenant,
car vous serez rassasiés.
Bénis, vous qui pleurez maintenant,
car vous rirez.

Bénis êtes-vous, quand les hommes vous haïront, quand ils vous frapperont d'exclusion et qu'ils insulteront et proscriront votre nom comme infâme, à cause du Fils de l'homme. Réjouissez-vous ce jour-là et tressaillez d'allégresse, car voici que votre récompense sera grande dans le ciel. C'est de cette manière-là, en effet, que leurs pères traitaient les prophètes.

Mais malheur à vous, les riches!
car vous avez votre récompense.
Malheur à vous, qui êtes repus maintenant,
car vous aurez faim.
Malheur, vous qui riez maintenant,
car vous connaîtrez le deuil et les larmes.
Malheur, lorsque tous les hommes diront du bien de vous! C'est de cette manière, en effet, que leurs pères traitaient les faux prophètes.

(*Luc* 6, 20-26)

Jésus n'est pas venu pour juger ni condamner, mais pour rassembler dans l'unité tous les enfants de Dieu dispersés. Il est venu pour briser les murs qui séparaient les riches des pauvres, les bien-portants de ceux qui sont malades ou qui ont un handicap, afin qu'ils se réconcilient et trouvent leur place dans un même corps.

Jésus a parcouru les routes de Galilée. Les petites gens, les malades, les pauvres sentaient sa bonté et sa compassion. Jésus les aimait. Il guérissait les malades et redonnait courage à chacun. Il allait même dans les lieux de débauche, se faisant proche de tous ceux et celles qui se sentaient exclus de la religion. Il leur parlait avec tendresse, révélant la bonté et le pardon de Dieu. Il voulait changer l'ordre des choses, non par la force ou par de nouvelles lois rigides mais en devenant l'ami des pauvres, en montrant un chemin d'humilité et de communion.

Certes, tout le peuple juif se sentait opprimé et humilié; sa terre était occupée par les Romains. Les Juifs vivaient sous le joug de soldats étrangers et du pouvoir brutal et méprisant du représentant de l'Empereur. Juifs et Romains étaient séparés par un mur de préjugés et de haine.

Jésus n'a pas cherché à devenir roi pour refaire une société plus juste où chacun serait respecté. Il a pris la route descendante de l'humilité pour se faire proche des personnes blessées.

Paul invite les disciples de Jésus à prendre ce même chemin:

> Ayez entre vous les mêmes sentiments qui furent dans le Christ Jésus. Lui qui était de condition divine ne retint pas jalousement le rang qui l'égalait à Dieu. Mais il s'anéantit lui-même, prenant condition d'esclave et devenant semblable aux hommes. S'étant comporté comme un homme, il s'humilia plus encore, obéissant jusqu'à la mort, et à la mort sur une croix! (*Philippiens* 2, 6-8)

Jésus invite ses disciples à prendre la dernière place, à ne pas chercher le pouvoir, serait-ce pour faire le bien, mais à servir comme des esclaves. «Celui qui s'élève sera abaissé et celui qui s'abaisse, sera élevé» (*Luc* 14, 11). «Dieu renverse les puissants de leurs trônes; il élève les humbles», dit Marie dans son Magnificat (*Luc* 1, 52).

Jésus apporte une vision entièrement nouvelle. Dieu n'est plus seulement un être bon et compatissant qui veille sur les pauvres et appelle les riches au partage, comme dans Isaïe par exemple:

> Voici le jeûne que je préfère:
> Défaire les chaînes injustes,
> envoyer libres les opprimés
> et briser tous les jougs.
> Partager ton pain avec l'affamé,
> héberger chez toi les pauvres sans abri,
> si tu vois un homme nu, le vêtir,
> ne pas te dérober devant celui
> qui est ta propre chair.
> Alors ta lumière éclatera comme l'aurore,
> ta blessure se guérira rapidement,
> ta justice marchera devant toi
> et la gloire de Yahvé te suivra.
> Alors tu crieras et Yahvé répondra,
> tu appelleras, il dira: Me voici!
> Si tu bannis de chez toi le joug,
> le geste menaçant et les paroles méchantes,
> si tu te prives pour l'affamé

et si tu rassasies l'opprimé,
ta lumière se lèvera dans les ténèbres
et l'obscurité sera pour toi
comme le milieu du jour.
Yahvé sans cesse te conduira,
il te rassasiera dans les lieux arides,
il donnera vigueur à tes os,
et tu seras comme un jardin arrosé,
comme une source jaillissante
dont les eaux ne tarissent pas. (*Isaïe* 58, 6-12)

Mais Jésus lui-même devient le pauvre; le Verbe se fait chair, le Tout-Puissant devient un enfant sans défense qui éveille à l'amour. Ses paroles, sa manière d'être déroutent les gens, surtout ceux qui ont le pouvoir. Ceux-là refusent de l'entendre; ils ne l'acceptent pas, ils cherchent même à le tuer et finalement le livrent au pouvoir civil, le pouvoir romain. Jésus est condamné à mort et meurt dans l'abjection totale: tous se moquent de lui. L'homme de compassion devient celui qui a besoin de compassion, le pauvre. Jésus renverse l'ordre établi: il ne s'agit plus de «faire du bien» aux pauvres mais de découvrir Jésus caché dans le pauvre, de découvrir que le pauvre guérit et libère.

Nakibule et Anne, L'Arche Ouganda

II

UNE SPIRITUALITÉ CENTRÉE SUR LE MYSTÈRE DU PAUVRE

Les deux mondes aujourd'hui

Ces deux mondes qui existaient au temps de Jésus existent encore aujourd'hui dans chacun de nos pays, de nos villages et de nos villes, et dans chacun de nos cœurs. Le riche est celui qui croit se suffire à lui-même et qui ne reconnaît pas son besoin d'amour, son besoin de l'autre. Il y a un riche en chacun de nous. Il y a aussi des gens riches de biens matériels et culturels, voire spirituels, satisfaits d'eux-mêmes, enfermés dans leur pouvoir, leurs privilèges, leurs préjugés. Ils ont plus que le nécessaire et cherchent à avoir toujours plus. Et il y a toujours des pauvres et des exclus considérés comme incapables de s'insérer dans la société. Ce sont les mendiants, les «sans domicile fixe», les chômeurs, tous ceux et celles qui souffrent d'une maladie mentale, d'un handicap physique ou mental; ce sont les vieillards abandonnés, les gens instables, ceux qui sont enfermés dans une image blessée d'eux-mêmes. Ce sont tous ceux et celles qui souffrent de malnutrition et de misère; ce sont tous les refugiés qui fuient la haine.

Le message de Jésus est le même aujourd'hui qu'hier: il est venu pour rassembler dans l'unité tous les enfants de Dieu dispersés et leur donner la vie en abondance. C'est pourquoi il veut abolir la haine, les préjugés et les peurs qui séparent les personnes et les groupes, et créer dans ce monde divisé des lieux d'unité, de réconciliation et de paix, en appelant les riches au partage et les pauvres à l'espérance. C'est là la mission de l'Arche et d'autres communautés: détruire les murs qui séparent les faibles et les forts pour qu'ensemble ils reconnaissent leur besoin les uns des autres en créant communauté. Voilà la bonne nouvelle.

Une société de compétition

Nos sociétés occidentales, parce qu'elles sont des sociétés de consommation qui incitent à l'individualisme, sont des sociétés de compétition. Dès l'école il faut être le premier. Il faut gagner pour être admiré; il faut réussir pour pouvoir espérer obtenir un bon emploi qui procurera pouvoir, richesses et privilèges. Dans tous les domaines, il s'agit de «monter» pour avoir «plus», plus de biens, plus de reconnaissance et d'influence.

La compétition a un côté positif. Elle développe au maximum les énergies et les capacités. Elle pousse à donner le meilleur de soi. Sans la compétition et le désir d'être reconnu et admiré, l'humanité n'aurait pas autant progressé dans beaucoup de domaines. La recherche d'excellence conduit à l'excellence. Mais elle a aussi des côtés négatifs. Pour un qui gagne, combien perdent, se découragent et ne peuvent développer leurs dons? Incapables de monter, ils tombent plus bas dans le manque de confiance en eux. Ceux qui ont monté dans l'échelle de la promotion sociale tendent souvent à mépriser ceux qui n'ont pas réussi; ce sont des «pauvres types».

Je faisais moi-même partie de ce monde de compétition. J'étais attiré par le «haut». Je ne voyais guère de valeur en «bas», même si parfois je m'occupais avec générosité de certains en grande difficulté, faisant ce que je pouvais pour les attirer vers le haut, vers la réussite et l'acquisition de biens matériels.

En 1963, par l'intermédiaire du Père Thomas Philippe, j'ai découvert le monde d'en «bas». En visitant des institutions, des asiles, des hôpitaux psychiatriques, j'ai découvert le monde des personnes ayant des maladies ou des handicaps mentaux, un monde de désolation et de folie. Les personnes étaient cachées, mises à l'écart, loin de la société, pour qu'on ne les voit pas. Enfermées dans une salle, elles tournaient en rond, sans rien à faire. Les dortoirs étaient parfaitement rangés mais rien n'était personnalisé. Le personnel soignant travaillait souvent avec cœur, mais n'avait guère le temps de prêter attention à chacun. Les personnes souffrant d'un handicap mental étaient laissées à elles-mêmes, parfois même opprimées. Si elles se révoltaient — et il y avait parfois de quoi —, elles étaient sévèrement punies pour décourager toute agressivité et par là même toute espérance.

Il ne s'agit pas de condamner ceux qui ont construit ces lieux de souffrance ni le personnel soignant. Ces institutions étaient le fruit d'une époque qui considérait les personnes qui n'avaient pas toute leur intelligence comme des «pauvres petits» qui ne souffraient pas de leur état. Certaines de ces institutions prenaient bien en charge les personnes, les traitant avec respect et affection, mais sans vraiment croire à leur capacité d'acquérir plus d'autonomie et encore moins au fait qu'elles avaient quelque chose à apporter aux autres. C'étaient des lieux de bonté «à part».

J'ai rencontré Raphaël et Philippe dans un asile près de Paris. C'était un lieu lugubre. Il n'y avait pas de travail. Ce n'était que cris insupportables, violence et dépression. Raphaël avait eu, enfant, une méningite qui l'avait privé de l'usage de la parole. Son corps manquait d'équilibre et il souffrait d'un handicap mental. C'était à peu près la même chose pour Philippe. Tous deux avaient été placés dans cet asile à la mort de leurs parents. Ils étaient enfermés derrière de solides murs.

Ayant pu acheter une petite maison délabrée dans le village de Trosly, au nord de la France, je les ai invités à venir vivre avec moi. C'est ainsi que l'aventure de l'Arche a commencé.

L'aventure de l'Arche

La première chose que j'ai découverte en vivant avec eux, c'était la profondeur de leur souffrance, la souffrance d'avoir été cause de déception pour leurs parents et leur entourage. On peut comprendre la réaction des parents. Qui ne serait pas blessé et déçu en découvrant que son enfant ne pourra jamais parler, marcher ou avoir pleinement part à la vie sociale! Avoir un enfant avec un handicap est une immense souffrance; avoir un handicap aussi. Raphaël et Philippe avaient un cœur incroyablement sensible. Ils avaient été blessés par le rejet, par les mille manques de considération de leur entourage. De ce fait, ils se mettaient parfois en colère ou fuyaient dans un monde de rêves.

Il était clair qu'ils avaient besoin d'amitié et de confiance, besoin de pouvoir exprimer leurs besoins et d'être écoutés. Trop longtemps, personne n'avait voulu les entendre, n'avait voulu ou pu les aider à faire des choix, à avoir autorité sur leur vie. Ils avaient cependant exactement les mêmes besoins que moi: besoin d'aimer et d'être aimés, de pouvoir faire des choix, de développer leurs capacités.

Au fur et à mesure que l'amitié grandissait entre nous, je prenais conscience de la cruauté de nos sociétés qui favorisent les forts et écartent les faibles. Ce rejet est inscrit dans la culture, dans les institutions, dans l'Église même, qui ne voient pas toujours que ces personnes ont une valeur et une place. Comme si nos sociétés étaient incapables d'admettre que ces personnes sont pleinement humaines et souffrent terriblement de cette mise à l'écart et de ces attitudes méprisantes. Certes, l'Église et la societé constatent qu'il faut «faire quelque chose» pour elles et pour leurs parents désemparés. Mais elles voient rarement que ces personnes faibles ont quelque chose à leur apporter.

À l'encontre de la culture

Avec le temps, je réalisais combien cette vie communautaire, entre des personnes souffrant d'un handicap mental et des personnes venues partager leur vie, allait à l'encontre de la culture ambiante.

Peu de temps après les débuts de l'Arche, j'ai découvert un passage de l'évangile de Luc où Jésus dit:

> Lorsque tu donnes un déjeuner, un dîner, ne convie ni tes amis, ni tes frères [ni tes sœurs], ni tes parents ni de riches voisins, de peur qu'eux aussi ne t'invitent à leur tour et qu'on te rende la pareille. Mais lorsque tu donnes un festin, invite des pauvres, des estropiés, des boiteux, des aveugles: heureux seras-tu alors. (*Luc* 14, 12-14)

J'avais entendu ce passage maintes fois, mais il ne m'avait jamais touché. Soudainement, je réalisai qu'il décrivait l'Arche: manger à la même table que Raphaël et Philippe et bien d'autres. Manger à la même table voulait dire devenir amis, vivre une alliance avec eux, former avec eux une famille. C'était aux antipodes d'une société de compétition, d'une société hiérarchisée qui rejette les faibles. Je commençais à saisir combien la bonne nouvelle de Jésus va à l'encontre de notre culture.

Certains parents d'assistants, bons chrétiens, étaient meurtris à l'idée de l'engagement de leur fils ou de leur fille à l'Arche. Être prêtre ou religieuse aurait été honorable, mais vivre à l'Arche avec des personnes «comme ça», non! Certains disaient: «C'est dommage que mon fils soit à l'Arche, il aurait pu faire tellement de bien!»

Si la communauté allait à l'encontre de la culture, j'étais néanmoins encouragé par le Père Thomas Philippe, par des psychiatres et par certains fonctionnaires français qui réalisaient la nécessité de traiter les personnes avec un handicap mental le plus humainement possible, de leur permettre de faire des choix et de vivre dans un milieu chaleureux, insérés dans la ville avec des voisins et des amis. Il fallait éviter de les enfermer dans de grandes institutions à l'aspect carcéral. Les personnes avec un handicap mental n'étaient pas des malades, nécessitant des soins particuliers, mais des personnes qui avaient besoin d'un milieu adapté qui les encourage à vivre, à se développer le plus possible et à trouver un sens à leur vie. J'étais frappé de voir combien l'Évangile et les sciences humaines se rejoignaient. Je découvrais combien nos sociétés compétitives, matérialistes et individualistes sont déshumanisantes, et combien le message de Jésus est profondément humain.

Devenir l'ami du pauvre éveille et transforme le cœur

Devenir l'ami de Raphaël et de Philippe et vivre une alliance avec eux impliquait pour moi un grand changement. De par mon éducation, j'étais un homme efficace et rapide, qui prenait seul ses décisions. J'étais un homme d'action avant d'être un homme d'écoute. Dans la marine, j'avais des collègues mais pas vraiment d'amis. Être ami, c'est devenir vulnérable, laisser tomber ses masques et ses barrières pour accueillir en soi l'autre tel qu'il est, avec sa beauté, ses dons, ses limites et sa souffrance. C'est pleurer quand il pleure, rire quand il rit. J'avais beaucoup de barrières autour de mon cœur pour protéger ma vulnérabilité. À l'Arche, il ne s'agissait plus de «monter» en grade, devenant de plus en plus efficace et reconnu, mais de «descendre», de «perdre» mon temps dans des relations avec les personnes souffrant d'un handicap, pour forger avec elles une communauté, un lieu de communion et d'alliance.

Il fallait, certes, faire des choses pour Raphaël et Philippe. Il fallait les aider à croître vers une autonomie plus grande, à faire des choix et à devenir autant que possible responsables de leur vie. Mais leur besoin essentiel n'était pas là. Ils avaient avant tout besoin de sortir de leur isolement, d'appartenir à une communauté d'amis, de vivre cette communion des cœurs. Il me fallait apprendre à aimer sous ce mode de communion. Aimer quelqu'un, c'est bien sûr vouloir faire des choses pour lui, mais c'est surtout lui être présent pour lui révéler sa beauté et sa valeur, et l'aider à avoir confiance en lui. Aimer, c'est aussi laisser l'autre toucher ma pauvreté et lui donner l'espace de m'aimer. C'était d'autant plus nécessaire pour Raphaël et Philippe de trouver des amis qu'ils avaient vécu le rejet et avaient une image négative d'eux-mêmes. Ils étaient convaincus d'être «bons à rien», d'avoir causé de la peine à leur famille et à tout leur entourage. Il me fallait lutter contre cette image en leur faisant sentir ma joie qu'ils existent, ma joie de vivre avec eux.

En touchant la fragilité et la souffrance des personnes avec un handicap mental, en recevant leur confiance, je sentais surgir en moi des sources nouvelles de tendresse. Je les aimais et j'étais heureux avec elles. Elles éveillaient une partie de mon être qui jusque là avait été sous-développée, atrophiée. Elles m'ouvraient à un autre monde, non pas le monde de la force et de la réussite, du pouvoir et de l'efficacité, mais celui du cœur, de la vulnérabilité et de la communion. C'était nouveau pour moi. Elles m'amenaient sur un chemin de guérison et d'unité intérieure.

Devenir l'ami d'un pauvre est exigeant. Il nous ancre dans la réalité de la souffrance. Impossible de fuir dans des idées ou des rêves! L'appel du pauvre à l'amitié et à la solidarité nous oblige à faire des choix, à nous intérioriser, à mettre l'amour au cœur de nos vies et du quotidien. Il nous transforme.

Mais cette amitié révèle aussi les tiraillements qui sont en nous. C'est si facile d'en fuir les exigences, d'être séduit par des projets personnels et des activités qui peuvent paraître plus exaltantes; ou par des distractions, des plaisirs et des loisirs qui nous font quitter la solidarité. La vie chrétienne, l'accueil des pauvres, la spiritualité de l'Arche impliquent une lutte! Pour vivre cette lutte, nous avons besoin du don de l'Esprit Saint, reçu dans la prière, ces moments où nous demeurons dans l'amour de Jésus.

Devenant l'ami du pauvre, reconnaissant que nous sommes liés ensemble, nous commençons à découvrir en lui des qualités de cœur qu'on trouve moins souvent chez ceux qui mettent leurs énergies dans la réussite. Certes, il ne faut pas généraliser ni idéaliser. Chaque personne est unique, chacune a ses dons et ses blessures. Mais les personnes que nous avons accueillies ont souvent une simplicité de relation; elles ne sont pas paralysées par la culture ambiante ou les usages. Elles peuvent accueillir avec joie les visiteurs sans faire de différence pour les grands de ce monde! Elles ne regardent pas la fonction ou le rang, mais elles voient le cœur. Elles ne portent pas de masque: la joie ou la colère éclatent sur leur visage. Elles vivent l'instant présent et ne s'enferment pas dans la nostalgie du passé ou les rêves d'avenir. Par le fait même, elles semblent avoir une grande capacité à pardonner, à dépasser les blessures d'un conflit. Toutes ces qualités en font des hommes et des femmes d'amitié, d'accueil et de célébration. Détachées de la réussite et de la compétition, beaucoup d'entre elles rayonnent la joie. Cette joie n'est pas bloquée par leurs souffrances antérieures et leurs handicaps, mais semble même en jaillir. Elles apparaissent plus unifiées et intégrées que beaucoup de personnes douées intellectuellement et manuellement mais atrophiées sur le plan de l'amour. Elles nous montrent un chemin de l'amour.

La découverte de mes propres blessures

Si, à certain moments, des personnes avec un handicap éveillaient en moi la tendresse, si c'était une joie d'être ensemble, à certains moments, d'autres éveillaient en moi des colères et des mécanismes de défense. J'avais peur qu'elles touchent ma vulnérabilité. Je me sentais agité, mal à l'aise, à l'opposé de la paix ou de la disponibilité nécessaires pour les accueillir. Ce fut difficile pour moi de découvrir ce monde de ténèbres, d'angoisse, de peur, de chaos et de haine psychologique qui m'habitait, ce monde qui cache des blessures anciennes et révèle notre incapacité à aimer. N'aimer que ceux qui nous gratifient et nous donnent un certain plaisir, est-ce aimer? N'est-ce pas plutôt s'aimer soi-même? Comment sortir de nous-même pour rejoindre l'autre qui crie, qui a besoin d'être aimé, mais qui nous dérange, nous agace et éveille en nous l'angoisse? Pour ceux qui, comme moi, ont toujours pu faire ce qu'ils voulaient et qui ont réussi, il est difficile mais ô combien salutaire de découvrir leur impuissance et leur pauvreté, d'être confronté à l'échec.

Il me fallait accueillir mes difficultés, ma propre pauvreté et chercher de l'aide. Constater mes colères et mon incapacité à aimer, toucher mes blocages intérieurs, m'a amené à toucher mon humanité et à vivre plus humblement.

J'ai découvert ma peur de mes propres ténèbres! Il me fallait toujours réussir, être admiré, avoir toutes les réponses. Je cachais ma pauvreté. Il est facile de juger les autres, de voir leurs failles. Il est plus difficile d'accueillir les siennes. Si vite on se justifie ou on accuse l'autre ou les autres, au lieu d'accepter humblement sa propre pauvreté, son péché.

Était-il possible d'être compatissant avec Raphaël et Philippe, d'accueillir leurs pauvretés et leurs blessures si j'étais incapable d'accueillir les miennes? Vivre avec des personnes souffrant d'un handicap, devenir leur ami, nous amène à descendre de notre piédestal pour reconnaître notre humanité commune et nos difficultés à aimer.

J'ai réalisé que pour devenir l'ami des personnes souffrant d'un handicap je devais faire tout un travail sur moi-même, avec l'aide de l'Esprit de Dieu dans la prière et de ceux qui m'accompagnaient. Je devais apprendre à m'accueillir, sans illusions sur moi-même. Je devais découvrir le pardon et mon besoin d'être pardonné. Peu à peu, les pauvres m'ont aidé à accueillir ma propre pauvreté, à devenir plus humain et à trouver une plus grande unité intérieure.

Être à l'écoute

Lorsqu'on est avec les personnes souffrant d'un handicap mental, il ne faut pas être pressé. Il faut prendre le temps de les écouter et de les comprendre. Elles ne sont pas d'abord «efficaces»; elles trouvent leur joie dans la présence, la relation; leur rythme est celui du cœur. Elles nous obligent à aller plus lentement pour vivre davantage la relation.

Écouter, c'est d'abord une attitude. C'est chercher à comprendre l'autre avec ses souffrances, ses désirs et son espérance, sans le juger ni le condamner. Écouter, c'est mettre l'autre en valeur pour lui donner vie et l'aider à avoir confiance en lui. Beaucoup de gens souffrent de sentir que personne ne cherche à les comprendre. Ils s'enferment en eux-mêmes. Mais si on les écoute avec intérêt, attention et bienveillance, ils commencent à s'ouvrir.

Écouter, c'est écouter non seulement les paroles mais aussi le corps, le langage non-verbal. Raphaël ne parlait presque pas. Il m'a fallu apprendre son langage et la signification qu'il donnait aux quelques mots qu'il savait prononcer. J'ai dû aussi apprendre le langage de son corps, de ses larmes, de ses tristesses, de ses sourires et de ses caresses, de ses cris de colère engendrés par ses frustrations. La personne avec un handicap mental s'exprime davantage par son corps que par une parole rationnelle. Il faut être attentif à ce langage simple et concret pour saisir les souffrances et les peines de l'autre, ses désirs et son espérance.

Parmi les expériences fortes que j'ai faites, il y a les moments où j'ai donné le bain. Une personne nue est dans un état particulier de vulnérabilité et de petitesse. Il faut être à l'écoute de son corps et de ses réactions pour qu'elle puisse profiter au mieux de ce temps privilégié de relation. Donner le bain nécessite une grâce de délicatesse et un profond respect du corps. Avant de venir à l'Arche, je n'avais jamais donné de bain à personne. En le faisant, j'ai découvert le sens des paroles de Paul: «Ne sais-tu pas que ton corps est le temple de l'Esprit Saint?» (*1 Corinthiens* 6, 19). Ce corps faible, fragile, nu, est le lieu de la demeure de Dieu, comme mon propre corps.

Quand je suis centré sur moi-même, sur mes projets, quand j'ai besoin de me prouver, j'ai davantage du mal à écouter. Écouter la parole ou le corps d'un autre implique une certaine mort à moi-même;

c'est être ouvert et disponible à l'autre pour accueillir ce qu'il veut donner, parfois toutes ses révoltes et ses ténèbres, mais aussi toute la beauté de son cœur.

À l'Arche, j'ai appris l'écoute inconditionnelle des personnes avec un handicap. Si l'une d'elles est violente, perturbée ou en dépression, les assistants et l'équipe médicale prennent du temps pour partager, réfléchir et essayer de comprendre ce que la personne est en train de vivre. Quelle est sa souffrance? Qu'est-elle en train de dire par ses actes de violence? Il n'y a aucun jugement moral. Il faut, certes, mettre des limites à un comportement destructif, mais il faut surtout dialoguer avec la personne, la comprendre et l'aider à faire des choix pour sortir de son monde de ténèbres.

Cet apprentissage de l'écoute m'a aidé à ne pas juger les gens à partir de normes ou de lois, mais à essayer de comprendre leurs blessures intérieures et de les aider à avancer pas à pas. Si on est trop exigeant, les gens restent paralysés et parfois culpabilisés; si on ne l'est pas assez, ils n'avancent guère. Cet apprentissage m'a également aidé à détecter plus vite les masques de certaines personnes dites «normales» pour cacher leurs limites, leurs blessures et leurs souffrances intérieures. Cette écoute sans jugement m'a souvent permis de dépasser mes préjugés culturels, fruits de mon éducation, pour apprécier des personnes de cultures et de religions différentes. Si l'autre sent qu'on cherche à le comprendre, à être proche de son cœur, lui aussi laisse tomber ses peurs et ses préjugés pour une attitude de confiance.

Mais cette écoute, cette proximité, ne sont pas toujours faciles. Elles peuvent ébranler nos certitudes. Écouter l'autre attentivement, c'est le prendre à l'intérieur de soi, le comprendre et l'aimer; c'est oser regarder l'ivraie et le bon grain de son champ en mettant des mots justes sur la réalité sans le culpabiliser; c'est aussi faire confiance à la vie qui est en lui. Il est parfois difficile à la fois de comprendre l'importance des valeurs morales et des normes sociales, et d'être proche de ceux qui ne peuvent les observer, quelle qu'en soit la raison. Mais lorsqu'on écoute des gens aux prises avec la drogue, des personnes emprisonnées, on commence à comprendre leurs blessures et leurs souffrances intérieures, et leurs difficultés à observer ces normes et à respecter ces valeurs. Si on devient l'ami d'immigrants qui viennent d'arriver, on commence à comprendre leurs difficultés devant une nouvelle culture, une nouvelle langue. On va souffrir lorsque d'autres les jugent et les condamnent sans les avoir écoutés. De la même façon, si on se fait proche d'une personne avec un handicap mental, on modifie son échelle de valeurs; on entre dans un autre monde où l'amour et la tendresse ont le primat sur la réussite et le pouvoir. La spiritualité de l'Arche entraîne nécessairement une attitude d'ouverture et de pauvreté. Cela est également vrai de la vie communautaire.

Le pauvre, choisi de Dieu

Quand on écoute le pauvre avec un cœur ouvert, sans préjugés, on découvre en lui des aspects prophétiques. La personne avec un handicap mental ne peut connaître Dieu de façon intellectuelle ou à travers des concepts abstraits. Mais elle peut saisir qu'elle est aimée. Un petit enfant qui se sent aimé est en paix; s'il sent qu'il n'est pas voulu, il souffre. Sa connaissance n'est pas abstraite mais affective, concrète; elle passe par le cœur, le corps et les sens. N'est-ce pas, toute proportion gardée, la même chose pour la personne avec un handicap mental, surtout quand le handicap est profond?

Ma communauté avait accueilli Éric, un jeune homme aveugle, sourd, qui ne parlait pas et était incapable de marcher ou de manger seul. Il venait de l'hôpital où il avait souffert de l'absence de sa mère qui l'aimait beaucoup mais ne pouvait s'occuper de lui; il avait souffert d'être touché par de multiples mains sans un engagement affectif réel. Il avait développé une image blessée de lui-même. Notre rôle à l'Arche était de lui révéler qu'il était aimable, que nous étions heureux qu'il existe, tel qu'il était. On l'amenait parfois à la chapelle pour l'eucharistie; ceux qui étaient proche de lui remarquaient la grande paix qui se reflétait alors sur son visage. Comment pouvait-il savoir qu'il était à la chapelle, sinon parce que Dieu se révélait à lui à travers une paix intérieure? Le mystère de l'incarnation est que

Dieu vient à nous, se donne à nous, parce qu'il nous aime; qu'il se révèle à notre cœur par son Esprit Saint. Il s'agit pour nous, ses enfants, d'accueillir sa présence dans nos cœurs. Les personnes qui ont développé leur intelligence tendent à aller vers Dieu par la connaissance et la compréhension intellectuelles. La personne avec un handicap mental est souvent plus ouverte à la présence, à la communion des cœurs; elle accueille Dieu à travers la paix, sans pouvoir le nommer parfois. Si Éric avait pu décrire ce qu'il vivait, il aurait sans doute dit: «Je me sens rempli d'une paix et d'une joie nouvelles.»

Il est parfois difficile pour les intellectuels de comprendre cette connaissance affective, qu'ils considèrent comme émotive, de moindre valeur. Ils oublient que cette forme de connaissance est la plus primitive, la plus fondamentale en chacun de nous; c'est elle qui a forgé les fondements de notre psychologie, lorsque nous nous sommes sentis aimés ou rejetés par nos parents. C'est elle qui est à l'œuvre quand nous tombons amoureux. C'est elle qui donne la joie d'être aimé, la force d'aimer.

Il ne faut pas négliger l'enseignement nécessaire aux personnes souffrant d'un handicap. La catéchèse est importante. Mais le plus important est cette connaissance affective où Jésus se donne à la personne et lui fait comprendre qu'elle est aimée et appelée à grandir dans l'amour. Il s'agit donc de créer un milieu chaleureux fait de chants, de la Parole de Dieu, de silence, pour que chaque personne soit ouverte et puisse accueillir la présence de Jésus dans son cœur.

Il y a quelques années, nous avons passé deux jours de retraite avec les personnes de mon foyer. Quand j'ai demandé à Didier ce qui l'avait touché le plus, il m'a répondu: «Quand le prêtre parlait, mon cœur brûlait.» Je suis sûr qu'il aurait été incapable de me dire ce dont le prêtre avait parlé. Mais la parole et la foi aimante de ce prêtre, la musique de sa voix avaient été comme un canal à travers lequel l'Esprit Saint avait touché le cœur de Didier, lui donnant un sentiment de joie et de paix profondes.

Les assistants aussi ont parfois du mal à croire à la valeur de cette connaissance de Dieu qui leur paraît trop sensible, trop enfantine. Ils peuvent eux-mêmes manquer d'une certaine profondeur de foi, et les personnes avec un handicap sont déroutantes. Tout en ayant cet aspect prophétique, elles peuvent avoir des attitudes et des comportements bizarres ou même destructeurs. On oublie que Dieu rejoint ce qu'il y a de plus profond dans la personne, la source de la vie, le cœur du cœur, caché derrière les blessures psychologiques et les systèmes de défense.

Paul a conscience de ce mystère quand il écrit aux Corinthiens que «Dieu a choisi ce qu'il y a de fou dans le monde pour confondre les sages. Dieu a choisi ce qu'il y a de faible dans le monde pour confondre les forts. Il a choisi ce qu'il y a de plus bas et de plus méprisé» (*1 Corinthiens* 1, 27-28).

À qui fait-il référence?

Jésus touche ce même mystère lorsqu'il parle du repas des noces qu'un roi offre pour son fils (*Matthieu* 22, 1-14). Les gens «bien» refusent son invitation. Ils ont autre chose à faire; ils sont trop occupés. Le roi dit alors aux serviteurs de convier aux noces tous les pauvres, les estropiés, les infirmes et les aveugles, c'est-à-dire toutes les personnes exclues de la société à cause de leur handicap physique ou mental. «Et la salle de noces fut remplie de convives.» Le pauvre est disponible, ouvert à l'amour. C'est toute sa soif!

Les Béatitudes annoncées par Jésus sur un mont qui domine le lac de Tibériade sont une charte de vie. Certains, ceux qui ont des capacités et des connaissances, doivent *choisir* cette voie. Les plus pauvres, et spécialement les personnes souffrant d'un handicap mental, n'ont pas de choix. Ils sont pauvres en esprit; beaucoup sont doux et humbles; ils pleurent, car ils sont familiers de la souffrance; ils ont soif de justice, pour eux-mêmes peut-être; beaucoup ont des cœurs purs, beaucoup sont persecutés et deviennent des artisans de paix. À travers leur être, ils manifestent la présence de Jésus, pauvre et humble. C'est leur état, mais ils peuvent l'accueillir ou le subir. C'est tout le mystère de leur liberté.

Cette ouverture spontanée à Dieu ne dispense cependant pas les personnes avec un handicap de lutter et de faire des efforts; elles ont besoin d'être aidées, éduquées et soutenues pour s'accepter telles qu'elles sont, grandir dans la foi et vivre dans le réel et non dans l'imaginaire. À l'Arche et à Foi et Lumière, nous organisons des retraites et des sessions de formation pour des personnes avec un handicap. Elles peuvent y aborder des questions importantes, comme le handicap, la sexualité, la mort, la présence de Dieu dans leur vie. Ces temps amènent certaines d'entre elles à de véritables libération et maturité intérieures.

Le pauvre rend Jésus présent

Jésus nous dit que celui qui accueille un petit enfant en son nom l'accueille, et que celui qui l'accueille accueille le Père (*Luc* 9, 48). L'enfant symbolise tous ceux qui ne peuvent se débrouiller tout seuls, qui ont besoin d'une présence et d'une aide plus ou moins constantes. Jésus s'identifie au marginal, à celui qui a faim et soif, qui est nu, malade ou en prison, à celui qui est étranger, en disant: «Tout ce que tu fais au plus petit de mes frères, c'est à moi que tu le fais» (*Matthieu* 25, 40). Il y a là un vrai mystère de foi. Comment Éric, dans sa pauvreté, peut-il rendre présent Jésus, le Verbe de Dieu? Est-il possible qu'en le touchant on touche Dieu?

Cette identification de Jésus au pauvre demeure un des mystères les plus grands, les plus incompréhensibles de l'Évangile. Comment Dieu qui est grandeur, beauté, puissance, peut-il devenir le plus petit, le plus souffrant, le plus faible? Mais la logique de l'amour est autre que celle de la raison et du pouvoir. Aimer, c'est se mettre à la portée de l'autre, utiliser son langage. Quand on aime un enfant, on lui parle comme à un enfant, on joue avec lui comme avec un enfant. C'est ainsi que Dieu se fait petit pour que nous n'ayons pas peur de lui, pour qu'il puisse être en communion d'amour avec nous.

Le Verbe s'est fait chair pour nous révéler ce qu'il y a de plus précieux en nous: notre cœur vulnérable, notre soif d'être aimé et notre capacité d'aimer, d'être bon et miséricordieux, de donner vie. Le plus important n'est pas la connaissance et le pouvoir, mais l'amour qui permet de mettre ces connaissances et ce pouvoir au service de la vie, de vivre des relations de fidélité. C'est pour cela que Jésus s'identifie aux faibles qui crient leur besoin d'amour et appellent à la communion. Le mystère de notre Dieu, c'est qu'il est un Dieu caché. Il n'est pas un Dieu de la loi qui commande et exige, ni un pédagogue qui enseigne le chemin du salut; notre Dieu est communion et amour. Il est cœur, à la recherche de notre cœur pour nous communiquer la joie et l'extase de la communion qui unit les personnes de la Sainte Trinité.

Parfois, durant la prière, Loïc est assis sur mes genoux. Petit, pauvre, incapable de parler malgré ses quarante ans, il est là, silencieux. Il me regarde et je le regarde. Nous sommes en communion l'un avec l'autre. Le curé d'Ars demanda un jour à un vieux paysan qui passait beaucoup de temps à l'église: «Que faites-vous?» Et le paysan lui répondit: «Il me regarde et je Le regarde.» Avec les personnes souffrant d'un handicap comme Loïc, nous vivons ces moments de contemplation, remplis de silence et de paix. «Il me regarde et je le regarde.» Moments guérissants qui unifient le corps et l'esprit.

En s'identifiant aux pauvres, Jésus rappelle qu'il s'identifie à ce qui est petit en chacun de nous. L'important pour chacun de nous est de devenir confiant, ouvert, émerveillé, comme un petit enfant. Chaque personne est sacrée, quels que soient son handicap, sa fragilité, sa culture, sa religion; elle est créée à l'image de Dieu. Elle est cœur, capacité d'aimer et d'être aimée.

La consécration

À travers les siècles, certaines églises chrétiennes (comme les églises orthodoxe, catholique, anglicane) ont encouragé une forme de vie consacrée. Les personnes consacrées ont toujours été vues comme des témoins privilégiés de Dieu. Ce sont les ermites, les moines et les moniales, tous ceux et celles qui s'engagent au nom de Jésus et pour Jésus, dans le célibat: religieux, religieuses ou laïcs. Leur célibat annonce les noces de Dieu avec l'humanité. Dans l'Ancien Testament, les prophètes parlent de Dieu comme de «l'Époux», et de son peuple comme de «l'épouse». Dans le Nouveau Testament, Jean Baptiste appelle Jésus l'Époux.

Le cœur de tout baptisé appartient à Dieu. Mais les personnes consacrées désirent le manifester dans un état de vie particulier.

L'Évangile semble nous dévoiler encore un autre mystère: le mystère du pauvre consacré par l'huile de la souffrance, du rejet et de la petitesse. Quand Paul dit que Dieu a choisi le fou, le faible et le méprisé, ou quand Jésus dans l'évangile de Matthieu décrit le Royaume de Dieu comme un repas de noces auquel sont invités les pauvres, les mendiants, les estropiés et les infirmes, tous deux affirment cette place unique des pauvres dans le cœur de Dieu. Jésus qui a été rejeté et méprisé s'identifie à eux. N'est-ce pas là l'ordre nouveau de l'Évangile qui renverse l'ordre ancien? À l'Arche, nous commençons à entrevoir ce mystère que des hommes comme saint Vincent de Paul ont pressenti. Ce dernier disait: «Les pauvres sont nos maîtres.»

L'exclusion n'est pas voulue par Dieu, au contraire. Elle est le fruit de l'endurcissement des cœurs et du péché. Mais l'Évangile révèle que Dieu accueille ceux et celles que la société rejette.

Le mystère de la souffrance

Manger à la table des personnes exclues et souffrantes peut être une épreuve. À l'Arche à Saint-Domingue, nous avons accueilli Luisito, né avec un lourd handicap. Sa maman, une femme très pauvre, habitait dans une cabane en planches, au cœur d'un quartier pauvre. Elle amenait Luisito avec elle près de l'église pour mendier. Il ne marchait pas, ne parlait pas. La maman est morte et plusieurs paroissiens à tour de rôle se sont occupés de Luisito, le lavant, le nourrissant. Ils cherchaient pour lui un milieu de vie. Ils ont entendu parler de l'Arche et, quelque temps après, une communauté a été fondée. Luisito a été la première personne accueillie.

Il n'est pas facile, cependant, de vivre chaque jour avec quelqu'un comme Luisito qui porte en lui tout un monde de tristesse, de ténèbres, de colère et de dépression. Le pauvre, qui a souffert du rejet, tend à se fermer à toute communication; il s'enferme dans sa souffrance et dans ses rêves, se sentant victime. En arrivant dans une communauté de l'Arche, il est invité à s'ouvrir, à communiquer, à laisser tomber ses barrières de protection. C'est un passage qui n'est pas facile. Le pauvre va résister au changement; il va crier ses angoisses, sa colère, sa violence. Au début, Luisito refusait de manger à table; il avait toujours mangé par terre avec ses doigts. Il n'avait jamais rien fait par lui-même. Il était habitué à être assisté en tout. Dans la communauté, on cherchait à l'aider à devenir plus autonome et plus responsable de lui-même. C'était une lutte au jour le jour entre notre espérance pour lui et son propre désespoir.

Luisito est dans la communauté depuis 10 ans maintenant. Il n'a pas beaucoup progressé, mais il a trouvé une famille, des amis. Il commence à marcher. Il travaille à l'atelier. Nous le comprenons mieux; nous avons créé avec lui des liens qui demeurent fragiles. S'il s'est ouvert, il demeure très blessé; en lui se cachent encore des tristesses et des colères. Il doit constamment faire un effort pour marcher, travailler, vivre cette vie communautaire, sans sombrer dans le découragement. Il est exigeant de vivre avec Luisito! Il faut porter, supporter, essayer de comprendre ses colères et ses mauvaises humeurs. La communauté lui offre un lieu de vie, mais vivre avec ses difficultés, ses angoisses et ses blessures demeure un défi, une souffrance.

Vivre avec le pauvre, manger à la même table que lui, n'est pas toujours idyllique. Il y a des luttes et des conflits. Les personnes avec un handicap sont parfois centrées sur elles-mêmes. Nous devons lutter contre tout ce qui les enferme et les aider à s'ouvrir aux autres, à libérer leurs cœurs de la peur, des sentiments de dépression et de mort. Ces luttes sont pénibles. Nous avons besoin d'être aidés, soutenus, par la vie communautaire mais aussi par des professionnels.

Il y a quelques années, je suis parti en vacances durant le mois d'août avec un groupe de 15 personnes de l'Arche. Notre vie ensemble était simple et astreignante. Il fallait faire la cuisine et le ménage et plusieurs personnes du groupe avaient un handicap lourd. Comme je me réveillais tôt, je partais de bonne heure au monastère, qui se trouvait à 500 mètres, pour participer à la prière des moines. Je profitais beaucoup de ce temps de silence et de paix.

Les moines me donnaient le petit déjeuner, puis vers 8 heures je retournais vers notre maison, le cœur lourd. Après ces heures bénies, j'avais un peu peur de retrouver le quotidien: faire le petit déjeuner, lever Loïc, lui donner un bain, réveiller les autres assistants, etc. Au fur et à mesure que les jours passaient, je voyais mon cœur s'alourdir davantage. J'étais si bien avec les moines! J'ai réalisé qu'il me fallait regarder ma propre vocation pour l'accepter pleinement et ne pas vivre dans le tiraillement et le rêve. Jésus ne m'avait pas appelé à une vie de moine selon la règle de saint Benoît. Il m'avait appelé à le trouver dans la pauvreté et les petits gestes d'amour du quotidien, à l'Arche.

Vivre avec le pauvre nous oblige à quitter nos théories, nos rêves, nos belles pensées sur Dieu, pour vivre dans la réalité, une réalité parfois dure et bousculante. C'est dans cette réalité que nous découvrons le Dieu qui s'appelle Emmanuel, «Dieu-avec-nous». Il est présent là, au creux de notre humanité, au cœur de notre propre souffrance.

Le pauvre, un mystère de foi à accueillir

Il est facile de comprendre la nécessité d'être généreux, de lutter pour la justice contre toute forme d'exclusion et de pauvreté. Il faut tout faire pour éduquer et réinsérer les personnes avec un handicap. Mais il faut aussi apprendre à marcher avec celles qui ne guériront jamais, qui demeureront exclues, enfermées dans leurs angoisses et leur pauvreté.

Elles ont besoin d'amitié, d'une communauté. Il faut leur révéler leur beauté et leur valeur. L'Évangile nous révèle quelque chose d'entièrement nouveau: dans leur souffrance et leur pauvreté, ces personnes ont quelque chose à donner. Elles sont, par leur être même, signe de Dieu et présence de Jésus (*Matthieu* 25).

La spiritualité de l'Arche n'est pas d'abord de «faire des choses» pour les pauvres, mais de les écouter, de les accueillir, de vivre en communion avec eux, pour les aider à découvrir le sens de leur vie.

Les pauvres révèlent à ceux qui viennent vivre avec eux la dimension du cœur et de la compassion. Les pauvres les évangélisent; ils leur montrent le chemin des Béatitudes. Une transformation s'opère dans le cœur de ceux qui étaient venus pour servir les pauvres; ils découvrent leur propre pauvreté. Ils découvrent que la bonne nouvelle de Jésus est annoncée aux pauvres, non à ceux qui servent les pauvres. Les pauvres les conduisent de la générosité à la compassion et leur font découvrir ces paroles de Jésus:

> Soyez compatissants, comme mon Père est compatissant; ne jugez pas et vous ne serez pas jugés; ne condamnez pas et vous ne serez pas condamnés. Pardonnez et vous serez pardonnés.
>
> (*Luc* 6, 36-37)

Nous découvrons alors que les personnes souffrant d'un handicap mental et tous ceux qui sont en bas de l'échelle sociale constituent un paradoxe. Dans un regard de foi, eux qui sont exclus, considérés comme des «ratés», deviennent capables de redonner un équilibre à notre monde. On disait de Jésus: «La pierre rejetée des bâtisseurs est devenue la pierre d'angle» (*1 Pierre* 2, 7). De même, si nous accueillons ceux qui ont été rejetés, ils nous transforment. C'est là l'Évangile et l'ordre nouveau institué par Jésus. Pour être transformé aussi radicalement, pour vivre de cet amour nouveau, il faut le don de l'Esprit Saint, le regard de la foi, une espérance et un amour jaillissant du cœur de Jésus qui découle de notre communion avec lui dans la prière. La transformation de notre regard sur le pauvre, et de notre cœur, est une œuvre lente et belle. Elle se fait au creuset de la vie communautaire.

Dick et Bill, à L'Arche Tacoma

III

Une spiritualité vécue en communauté

La communauté est un corps

L'Arche veut créer des communautés où vivent ensemble des personnes souffrant d'un handicap et ceux qui sont appelés à devenir leurs amis. Le défi de nos communautés est de rassembler dans l'unité des personnes capables et fortes et des personnes pauvres et exclues.

Dans sa lettre aux Éphésiens, Paul écrit:

Jésus est notre paix.
Lui qui des deux peuples (juifs et gentils)
n'en fait qu'un,
détruisant la barrière qui les séparait,
supprimant en sa chair la haine...
pour créer en sa personne
les deux en un seul être nouveau,
faire la paix et les réconcilier avec Dieu,
tous deux dans un seul corps

par la Croix.
En sa personne il a tué la haine.
Alors il est venu proclamer la paix.

(*Éphésiens* 2, 14-17)

L'œuvre de Jésus est de détruire les barrières de préjugés et de peur qui séparent les personnes avec un handicap des personnes en bonne santé pour les réunir en un seul corps. Il va à l'inverse d'une société hiérarchisée où les puissants, les forts, les privilégiés sont en haut et les petits, les faibles, les pauvres en bas. On assiste à un renversement total. Les derniers deviennent le cœur de ce corps institué par Jésus où la compétition n'existe plus. C'est un lieu où chacun a une place, où nul n'est supérieur à un autre. Chacun est différent, mais important et nécessaire.

Dans sa première lettre aux Corinthiens, Paul décrit ce corps qu'est l'Église, qu'est chaque communauté chrétienne, où chacun a un rôle spécifique:

> Dieu a placé les membres et chacun d'eux dans le corps, selon qu'il a voulu... Il y a plusieurs membres et cependant un seul corps. L'œil ne peut pas dire à la main: «Je n'ai pas besoin de toi», ni la tête à son tour dire aux pieds: «Je n'ai pas besoin de vous.»
>
> Bien plus, les membres du corps qui sont tenus pour plus faibles sont nécessaires, et ceux que

nous tenons pour les moins honorables du corps sont ceux-là même que nous entourons de plus d'honneur. Et ce que nous avons d'indécent, on le traite avec le plus de décence. Dieu a composé le corps de manière à donner davantage d'honneur à ce qui en manque.

(*1 Corinthiens* 12, 18-24)

Nous ne savons pas à qui Paul fait référence quand il parle «des membres qui sont tenus pour plus faibles et moins honorables», ceux qu'on cache ou, au début de cette même lettre, des «fous, des faibles, des méprisés». Mais les personnes avec un handicap mental répondent parfaitement à ces critères. Si souvent dans le passé on les a cachées, Paul affirme qu'elles sont «nécessaires» au corps et qu'elles doivent être «entourées de plus d'honneur». Elles sont importantes; elles ont un rôle à jouer dans nos communautés et dans l'Église universelle. L'Arche veut être un corps où faibles et forts sont unis.

Dans beaucoup de congrégations religieuses, l'activité principale se déroule à l'extérieur. Les membres enseignent, soignent, agissent, annoncent la bonne nouvelle ailleurs. Dans les monastères, la vie est centrée sur la prière et la liturgie. À l'Arche, l'activité principale est l'accueil, les soins, le travail et la communion avec les personnes souffrant d'un handicap qui font partie de la communauté. C'est cette vie en commun avec les personnes faibles qui est source de guérison et de libération, non seulement pour les personnes souffrant d'un handicap mais également pour les assistants.

À travers cette vie quotidienne avec le pauvre, Jésus nous fait participer à la communion qu'il vit avec le Père. En mangeant à la table des personnes souffrant d'un handicap mental, qui ont vécu l'exclusion, en devenant leurs amis, nous faisons œuvre d'unité, de réconciliation et de paix; nous grandissons dans la tendresse divine; nous découvrons le pardon de Jésus et nous devenons signe de la fête des noces éternelles.

C'est pour cela que dans une communauté de l'Arche l'unité est si importante. La spiritualité de l'Arche fait écho aux paroles de Paul à la communauté de Philippes. Chacun est appelé à être instrument de cette unité sans laquelle tout s'écroule.

> S'il y a quelque réconfort dans le Christ,
> s'il y a une consolation dans l'amour,
> s'il y a une communion dans l'Esprit,
> s'il y a de la compassion et de la sympathie,
> mettez le comble à ma joie
> en pensant de la même manière;
> ayez entre vous
> un même amour,
> une seule âme,
> la même pensée.

Ne faites rien par esprit de rivalité
ni pour la vaine gloire
mais, dans l'humilité,
voyez les autres comme supérieurs.
Ne cherchez pas vos propres intérêts
mais les intérêts des autres. (*Philippiens* 2, 1-4)

Cet idéal de vie communautaire, idéal d'un corps où il n'y a pas de rivalité et où chacun trouve sa place, n'est pas acquis. C'est une lutte de chaque jour. Si vite dans la vie en commun surgissent des difficultés relationnelles, des jalousies, des colères, des peurs! Il y a des personnes qu'on évite; on peut être ensemble physiquement mais se croiser comme des bateaux dans la nuit.

Quand on a la compétition dans le sang, quand on a appris à être le meilleur et à monter en grade, à se prouver et à rechercher l'admiration, entrer dans le corps d'une communauté n'est pas chose facile. D'autant plus que ce besoin de briller, d'être admiré, est une façon de calmer l'angoisse et le sentiment de non-valeur. Le besoin de briller va à l'encontre de cet esprit de coopération et de communion qui est partie intégrante de la vie communautaire. On doit vivre un réel deuil par rapport à sa façon propre de voir et de faire. Non qu'il faille renoncer à toute vie ou tout jugement personnels, mais il s'agit d'abord d'être à l'écoute, de ne pas imposer sa façon de voir et de toujours rechercher l'unité. La vie communautaire implique de coopérer et de prendre ensemble des décisions. Il faut pour cela passer du temps dans des réunions qui peuvent sembler longues et astreignantes. Ce serait tellement plus facile et efficace que le responsable prenne seul les décisions! Mais ce ne serait pas respectueux des autres, et surtout des plus humbles. Vivre en communauté, c'est chercher à responsabiliser chacun. Les réunions permettent à chacun de s'exprimer et d'être à l'écoute des autres. Ce sont des lieux où se forge l'unité.

La vie communautaire et la recherche d'unité impliquent un effort constant pour être attentif aux autres, spécialement à ceux pour lesquels on éprouve moins de sympathie, et respecter leur place. Elles impliquent un effort pour accueillir la différence et vivre chaque jour le pardon.

Cette recherche d'unité est d'autant plus complexe à l'Arche à cause de la grande diversité entre les membres. Une communauté de l'Arche est un peuple en marche. Dans ce peuple coexistent des différences venant du fait qu'on a choisi librement de vivre en communauté ou du fait qu'on a un handicap qui empêche l'autonomie totale. Il y a différents états de vie: des personnes mariées, des célibataires, ceux qui ne se sont pas encore engagés de façon définitive. Il y a des différences de fonction: ceux qui vivent dans un foyer, ceux qui travaillent aux ateliers ou à un autre emploi, ceux qui sont dans une maison de prière vouée spécialement à l'adoration, ceux qui sont dans le conseil d'administration, des amis qui viennent aider. Il y a des différences plus personnelles d'âge, de culture, d'éducation, de maturité, de capacités, de limites, de handicaps, de foi. Il y a ensuite des différences venant du temps vécu dans la communauté. L'unité dans cette diversité se fait dans et par les personnes avec un handicap qui sont au cœur de la communauté. Ce sont elles, par leur soif d'être aimées et reconnues, par leur confiance, qui rassemblent tous les membres et donnent le sens et l'orientation à la communauté. Et c'est la foi en Dieu et l'amour de Dieu qui appellent et inspirent chacun, leur permettant d'être centré sur l'essentiel et de vivre cette unité.

L'amour dans les petites choses

Beaucoup d'assistants, après un temps à l'Arche, affirment que cette vie simple auprès des personnes avec un handicap les a transformés. Ils ont souvent grandi dans un monde conflictuel et compétitif où il fallait porter un masque et être agressif. À l'Arche, ils apprennent à laisser tomber leurs défenses, à être vulnérables, en somme, à être eux-mêmes. Cette vie relationnelle, proche de la matière, semble les rendre heureux, même si elle est exigeante et difficile. Les mêmes assistants qui affirment être transformés disent aussi ne pas pouvoir demeurer à l'Arche. Je me rappelle cet assistant qui me confiait, après deux ans à l'Arche, qu'il n'avait jamais été aussi heureux de sa vie, mais qu'il devait partir. Le fait que beaucoup soient incapables de rester montre que cette vie communautaire, si belle qu'elle soit, implique une lutte et un deuil. Les médias, en particulier la télévision, éveillent le besoin de nouveauté, d'expériences fortes, de faire de grandes choses. Demeurer fidèle aux petites choses, sans rechercher d'abord un enrichissement personnel, peut sembler rétrograde.

Si beaucoup de mariages cassent aujourd'hui, n'est-ce pas parce que les gens ont peur de mourir d'ennui dans le quotidien? Ils sont souvent stressés par une vie agressante et trépidante — les transports quotidiens, la superficialité des relations, l'omniprésence de la télévision — et leur incapacité à gérer leurs angoisses et leurs difficultés relationnelles. Ils ne savent plus trouver leur joie dans les petites choses. La vie quotidienne avec les repas, le linge, le jardin, les relations toutes simples, apparaît trop petite, trop insignifiante. Pour demeurer à l'Arche et vivre ce quotidien, non pas quelques mois ou quelques années, mais toute une vie, il faut avoir découvert une spiritualité de l'amour dans les petites choses.

La vie communautaire à l'Arche avec les personnes faibles s'incarne dans des réalités matérielles toutes simples. Préparer de bons repas, passer du temps autour de la table, faire la vaisselle, s'occuper du linge, faire le ménage, animer des réunions, arranger la maison pour qu'elle soit belle et accueillante. Mille petites choses qui prennent du temps. Mais c'est aussi veiller sur le corps des personnes faibles, leur donner le bain, leur couper les ongles, les aider à acheter des vêtements et à gérer leur argent. Dans l'atelier ou au jardin, c'est faire des choses simples avec les moyens qu'on a.

Ces petites choses sont souvent vues comme insignifiantes, sans valeur. Mais tous ces petits gestes peuvent devenir des gestes d'amour et créer un milieu chaleureux qui permette la communion des cœurs. La vie communautaire devient ainsi une école d'amour.

Dans la vie communautaire, il faut certes des responsables qui portent la vision et soient garants de l'unité. Mais il y a toutes ces personnes plus cachées qui jouent un rôle capital; elles aiment avec tendresse, prennent le temps de «vivre avec», donnent les bains, préparent les repas. Davantage en relation avec les personnes, elles sont instruments de l'amour.

Les communautés de l'Arche veulent être des lieux aimants et heureux. La tentation est de se laisser séduire par ce qui est grand, par les richesses, la réussite, l'acquisition de pouvoir, de biens et de privilèges. En mettant toutes ses énergies dans ces domaines on peut oublier l'humain; on peut oublier de créer des liens d'amitié et de fraternité.

Paul dans sa première lettre aux Corinthiens rappelle à ses disciples que, sans l'amour, la recherche des grandes choses ne mène à rien:

Quand je parlerais les langues des hommes et des anges, si je n'ai pas l'amour, je ne suis plus qu'airain qui sonne ou cymbale qui retentit.

Quand j'aurais le don de prophétie et que je connaîtrais tous les mystères et toute la science, quand j'aurais la plénitude de la foi, une foi à transporter des montagnes, si je n'ai pas l'amour, je ne suis rien.

Quand je distribuerais tous mes biens en aumônes, quand je livrerais mon corps aux flammes, si je n'ai pas l'amour, cela ne me sert de rien.

Puis il rappelle ce qu'est l'amour:

L'amour est patient; l'amour est serviable; il n'est pas envieux; l'amour ne fanfaronne pas, ne se gonfle pas; il ne fait rien d'inconvenant, ne cherche pas son intérêt, ne s'irrite pas, ne tient pas compte du mal; il ne se réjouit pas de l'injustice, mais il met sa joie dans la vérité. L'amour excuse tout, croit tout, espère tout, supporte tout. (*1 Corinthiens* 13, 1-7)

Retrouver une espérance

Nos sociétés tendent à se fragmenter. Les réseaux naturels d'amitié et de fraternité, comme la paroisse ou le village, se perdent. Chacun va son chemin, pris par ses propres projets et ses loisirs. Chacun a des amis, mais ces amitiés peuvent vite devenir exclusives. Les pauvres en sont exclus.

N'est-il pas vital aujourd'hui de recréer des lieux d'appartenance, où les personnes communiquent, s'ouvrent les unes aux autres, et ensemble retrouvent un sens à leur vie? Trop de personnes ont perdu confiance en elles-mêmes, en nos sociétés, en l'avenir et en l'être humain en général. Les guerres, les histoires de corruption, le spectacle des inégalités humaines renforcent l'idée que l'être humain est mauvais, que nous vivons dans une jungle où c'est chacun pour soi, où la bonté et l'amour se font rares. La fidélité dans le mariage semble impossible à beaucoup. Le nombre de divorces en témoigne. Un féminisme exacerbé semble affirmer que les hommes sont intrinsèquement mauvais et qu'aucune complémentarité, aucune communion, ne sont possibles entre l'homme et la femme.

Nous avons tous besoin de retrouver une confiance et une espérance: de redécouvrir la beauté fondamentale et les capacités d'amour du cœur humain. Les communautés de l'Arche veulent témoigner que l'amour est possible, que nous ne sommes pas condamnés à un égoïsme personnel et collectif. Comme toute communauté chrétienne, elles veulent témoigner de cette foi dans l'amour, de cette foi dans la possibilité pour l'être humain de dépasser son égoïsme pour s'ouvrir aux autres. C'est là leur mission dans la société. De même qu'une lampe ne doit pas rester cachée sous le boisseau mais briller pour tous ceux qui sont dans la maison (*Matthieu* 5,15), les communautés doivent permettre à d'autres de découvrir une espérance et de vivre l'amour, le partage et le don de sa vie. C'est pourquoi toute communauté vraie est appelée à s'insérer dans son environnement, à s'ouvrir à ses voisins, en particulier aux pauvres, à ceux qui sont dans le besoin et qui souffrent. La petite voie de l'amour quotidien, si liée aux personnes, a une portée universelle. Il nous faut découvrir que le moindre geste que nous faisons pour un frère ou une sœur va jusqu'au bout du monde.

Descendre dans l'humilité

Jésus a pris la voie descendante de l'humilité. Elle l'a conduit à la rencontre des personnes pauvres et isolées et à une communion avec elles. Jésus ne libère pas par la loi mais par une rencontre avec lui qui engendre la confiance et la foi. Si nous avons confiance en Jésus, si nous cherchons à vivre comme il a vécu, en communion avec lui, il libère progressivement nos cœurs de toutes les puissances de peur et d'égoïsme qui nous habitent et nous gouvernent.

Jésus appelle ses disciples à le suivre sur ce chemin de descente: «Celui qui s'élève sera abaissé; celui qui s'abaisse, sera élevé» (*Luc* 14, 11). Il nous demande de rechercher la dernière place. Cette invitation de Jésus à l'humilité n'est pas pour nous enfermer dans une image négative de nous-mêmes, ni faire de nous des victimes qui refusent d'assumer une responsabilité par rapport à nos frères et sœurs. C'est un appel à suivre Jésus et à le trouver dans nos frères et sœurs les plus pauvres, ceux qui sont toujours à la dernière place, à manger à la même table qu'eux, à leur ouvrir notre cœur pour entrer en communion avec eux. Pour cela Jésus nous donne son Esprit Saint, qui change nos cœurs de pierre en cœurs de chair. Il nous donne une force nouvelle qui se manifeste dans notre faiblesse: «Ma grâce te suffit. Ma force se manifestera dans ta faiblesse» (*2 Corinthiens* 12, 9).

Jésus sait notre tendance à prendre le pouvoir, à contrôler les autres. En chacun de nous somnole un petit dictateur. Certains parents veulent absolument contrôler leurs enfants. Des dictateurs religieux oppriment au nom de la vérité et de la religion. Les prophètes de l'Ancien Testament ont souvent été rejetés par ceux qui détenaient le pouvoir. Les chefs religieux ont tué Jésus. Jésus est sévère pour ceux qui utilisent la religion pour leur propre gloire et qui oppriment les pauvres sans les écouter. Il y a toujours un danger pour les personnes généreuses de se regarder dans le miroir de l'autosatisfaction. Il y a un danger d'utiliser les personnes faibles pour avoir un pouvoir sur elles. Il y a toujours un danger de vouloir être reconnu pour ses bonnes actions.

Jésus parle de ce danger dans une de ses paraboles:

> Deux hommes montèrent au Temple pour prier; l'un était pharisien et l'autre publicain. Le pharisien, debout, priait ainsi en lui-même: «Mon Dieu, je te rends grâces de ce que je ne suis pas comme le reste des hommes, qui sont rapaces, injustes, adultères, ou bien encore comme ce publicain: je jeûne deux fois la semaine, je donne la dîme de tout ce que j'acquiers.» Le publicain, se tenant à distance, n'osait même pas lever les yeux au ciel, mais il se frappait la poitrine, en disant: «Mon Dieu, aie pitié du pécheur que je suis!» Je vous le dis, ce dernier descendit chez lui justifié, l'autre non. Car tout homme qui s'élève sera abaissé, mais celui qui s'abaisse sera élevé. (*Luc* 18, 9-14)

Imaginez la colère des pharisiens en entendant cette parabole. Ils pensaient que Jésus était en train de saper leur autorité, alors qu'il voulait simplement appeler chacun à reconnaître sa pauvreté.

La veille de sa mort, au cours du repas pascal, Jésus retira ses vêtements et, dans la tenue de l'esclave, se mit à laver les pieds des apôtres. Ceux-ci furent surpris, choqués. Pierre refusa; il ne pouvait supporter que Jésus, le maître, s'abaisse devant lui et lui lave les pieds comme un esclave. Après avoir repris ses vêtements, Jésus expliqua ce qu'il venait de faire. Il leur avait donné l'exemple pour qu'à leur tour ils se lavent les pieds les uns aux autres: «Bénis êtes-vous si vous le faites» (*Jean* 13,17).

Jésus connaissait le danger qui guettait ses disciples: l'orgueil de la vérité et le désir d'un pouvoir spirituel. Ils risquaient de rivaliser entre eux, d'être en compétition, à la recherche de pouvoir. Le corps de la communauté des disciples serait alors brisé. Et si ce corps était brisé, le message des disciples serait difficilement crédible. Au contraire, dit Jésus, «on saura que vous êtes mes disciples à l'amour que vous avez les uns pour les autres»(*Jean* 13, 35). Et il pria pour que ses disciples soient *un* pour que le monde croie.

Jésus appelle ses disciples à l'humilité et à la petitesse. Il les appelle à devenir comme des petits enfants, à ne pas chercher à prouver qu'ils ont raison et que les autres ont tort; à aller vers les pauvres, les sans-voix et, à travers eux, à vivre en communion avec lui, comme il vit en communion avec le Père. L'orgueil détruit la communauté; l'humilité la construit. L'humilité, c'est reconnaître en l'autre ce qui est beau, le don de Dieu; c'est reconnaître nos propres ténèbres, notre suffisance qui ternit jusqu'à nos bonnes actions et notre recherche de la première place; c'est reconnaître que nous avons besoin de Jésus pour nous libérer de cet orgueil qui nous colle à la peau.

L'humilité, c'est accepter de prendre notre place dans le corps de la communauté en appréciant la place des autres. L'humilité, c'est obéir aux autres et se mettre à leur service. L'humilité, c'est reconnaître l'importance des petites choses dans la vie communautaire. L'humilité, c'est aussi affirmer ce qu'on pense et assumer pleinement ses responsabilités pour que la communauté soit plus aimante et plus vraie.

C'est en étant en communion avec Jésus doux et humble de cœur que nous pouvons être libérés de nos tendances à juger et à condamner les autres pour vivre humblement avec les humbles et bâtir ensemble des lieux de paix et d'amour, signes d'espérance dans un monde blessé.

Dernièrement, un assistant à l'Arche depuis longtemps m'a dit: «Je suis heureux d'être simplement dans mon foyer. Autrefois, j'étais responsable, maintenant je suis heureux d'être avec les personnes, de leur donner le bain, de jouer avec elles. J'ai du temps pour prier, je me sens détendu.» C'est là la voie descendante. La spiritualité de l'Arche est un chemin d'humilité.

La vie communautaire, source de vie

Vivre en communauté implique beaucoup de deuils. C'est une vie astreignante et exigeante, mais qui apporte également des joies profondes et une nouvelle liberté du cœur. La vie communautaire est source et nourriture.

Entrer dans le corps d'une communauté veut dire renoncer à une certaine indépendance, à une certaine réussite «personnelle». C'est laisser tomber les barrières qui nous protègent pour laisser émerger ce qu'il y a de plus profond en nous: notre cœur vulnérable et notre capacité à vivre la communion. Chacun peut alors découvrir qu'il est aimé tel qu'il est, avec ses dons et ses limites; chacun peut devenir lui-même, sans masques, et retrouver peu à peu son unité intérieure. Quand on a découvert sa terre, quand on appartient à une famille, on découvre une nouvelle sécurité qui donne une grâce de paix intérieure. On découvre sa fécondité.

La communauté est une école où on apprend à accueillir la différence et à vivre le pardon. On vit la joie d'être témoin de l'amour et de la compassion. À l'Arche, on exige beaucoup des assistants; il y a des fatigues et des tensions, mais aussi des moments de détente et de célébration. Personnellement, je n'ai jamais autant ri que depuis que je suis à l'Arche. Il y a la joie d'être avec des personnes très simples qui communiquent à travers l'humour et la paix; il y a la joie d'être avec des frères et des sœurs qui s'aiment et qui s'appellent à la fidélité. Il y a la joie de se savoir aimé de Dieu dans cette vie quotidienne toute simple.

Lucia et Armando à Il Chico,
la maison de L'Arche à Rome.

IV

CONFIANCE EN DIEU QUI MARCHE AVEC NOUS

L'œuvre de Dieu

En accueillant Raphaël et Philippe, je n'avais guère de plan ni d'idée précise. Je ne connaissais rien aux personnes souffrant d'un handicap mental, mais j'avais été touché par leurs souffrances dans des asiles et des institutions. Je voulais, au nom de Jésus et de l'Évangile, les aider à trouver une façon de vivre plus humaine et plus chrétienne. Je n'avais aucune idée de ce que devait être une communauté de l'Arche. Jour après jour, j'ai commencé à comprendre les besoins de Raphaël et de Philippe et à découvrir ce qu'est une communauté. Je crois qu'il serait difficile de trouver un fondateur moins capable que moi! J'essayais de vivre les événements comme ils venaient. Le Père Thomas Philippe était toujours là pour me conseiller et me soutenir. J'étais naïf mais persévérant; je voulais œuvrer pour Jésus et pour son Royaume; j'essayais d'être attentif aux signes de la Providence, précisément parce que je ne savais pas bien ce que j'étais appelé à faire!

Je suis de plus en plus convaincu que Dieu a suscité l'Arche et l'a conduite à travers les années pour révéler à la société et à l'Église la place et la valeur de la personne avec un handicap mental, et spécialement à ce moment de l'histoire où leurs vies sont menacées, mises en question.

Quand je regarde la semence plantée en terre le 4 août 1964 et l'arbre qui regroupe aujourd'hui toutes les communautés de l'Arche à travers le monde; quand je vois la beauté et la sainteté de tant de personnes souffrant d'un handicap et de tant d'assistants venus partager leur vie, je me dis que c'est là l'œuvre de Dieu, une œuvre qui s'est réalisée parfois malgré moi. Mon rôle était d'accueillir les événements, de me laisser conduire. Plus tard j'ai réalisé que mon ignorance et ma pauvreté aux débuts de l'Arche m'ont permis d'être davantage à l'écoute de Dieu et de me laisser conduire par lui au jour le jour. Si j'avais eu *mon* plan, j'aurais été moins disponible pour accueillir celui de Dieu.

Une nécessaire insécurité

Toute œuvre de Dieu implique au départ cette insécurité et cette pauvreté qui permettent une réelle disponibilité à l'action de Dieu. Puis, par l'effet de la Providence, viennent les personnes et l'argent. Quand il y a suffisamment de personnes, d'argent et de structures, la communauté est en danger! Elle peut croire avoir moins besoin de Dieu et être tentée de se suffire à elle-même; la vie devient confortable, l'enthousiasme tombe; ceux qui gênent sont exclus. On est moins présent aux autres; chacun pense davantage à soi.

Ce fut l'histoire du peuple hébreu. Abraham fit confiance; il quitta sa terre et partit dans l'inconnu. Peu à peu un peuple se forma, grandit et s'établit avec des lois, des structures et un roi! Le peuple acquit une certaine renommée, des richesses, un savoir. La tentation pour le peuple hébreu fut alors de vouloir être grand et fort comme les nations voisines, qui trouvaient en elles-mêmes leur sécurité et leur force. Dépendre de Dieu devenait trop insécurisant; il lui fallait des richesses et une armée pour pouvoir se défendre, pour être en sécurité.

À l'Arche, nous n'échapperons à ce processus qui va de l'insécurité à la sécurité à la décadence que si nous demeurons vigilants sur trois points: la fidélité au pauvre qui crie et qui dérange, la qualité de la vie communautaire et la confiance en la Providence. Il ne suffit pas d'avoir *un* fondateur à l'Arche ou ailleurs: chaque responsable ou groupe de responsables est appelé à *refonder* la communauté. Le peuple hébreu avait des rois et des prophètes. Il faut des gens pour gérer ce qui existe et le gérer bien. Il faut aussi des prophètes pour rappeler les défis et la vocation de la communauté aujourd'hui, pour communiquer une flamme et un enthousiasme nouveaux, et permettre au plan de Dieu de se réaliser.

Si nous sommes fidèles aux exigences du pauvre et de la vie communautaire, nous demeurerons ouverts au souffle prophétique de l'Esprit. Les personnes souffrant d'un handicap savent nous déranger. Elles le font d'autant plus quand elles sentent un manque d'attention et de vérité à leur égard. Le manque d'argent et surtout le manque d'assistants nous garde dans l'insécurité et nous oblige à rester ouverts aux autres et à Dieu. Les crises dans les communautés — les crises des personnes souffrant d'un handicap mais aussi celles des assistants, les maladies, les accidents, les conflits — demandent non seulement une sagesse humaine et la mise en place de structures adaptées, mais aussi ce recours constant à l'aide de Dieu. La crise est une forme de pauvreté inattendue qui appelle à retrouver l'essentiel de l'amour.

Cette dépendance à l'égard de Dieu engendre une fatigue et une peur. En chaque communauté et en chaque personne se trouve une force qui pousse à la sécurité, à l'acquisition de biens, à une organisation qui prévoit et contrôle tout. Il est vrai que peut exister une fausse spiritualité d'abandon à Dieu qui ne cherche qu'à masquer les insuffisances, les incompétences humaines et les manques de réflexion.

L'Arche exige une sagesse et des qualifications humaines; il faut gérer nos communautés avec compétence; nous avons besoin de bons médecins et psychologues. Mais tout cela est pour nous permettre de mieux répondre au cri du pauvre, d'accepter d'être dérangés et d'annoncer à temps et à contre-temps la bonne nouvelle de Jésus.

Demeurer ouverts

La façon de dépendre de Dieu varie selon qu'une communauté est petite, jeune ou plus grande et plus structurée. Les grandes communautés ont besoin de recourir à Dieu pour rester prophétiques, continuer à s'approfondir dans l'amour et relever de nouveaux défis pour répondre au cri du pauvre.

Un évêque français me confiait récemment combien il était difficile de faire surgir quelque chose de neuf dans son diocèse. Les prêtres et les responsables étaient déjà tellement pris, surmenés, et il n'y avait jamais assez d'argent. La réaction de son conseil presbytéral était toujours: «Comment commencer quelque chose de nouveau quand on n'a ni les personnes ni les ressources?» On comprend une telle réaction. La prudence pousse à fortifier le déjà-existant. L'évêque ajoutait cependant: «Il me semble qu'il faut être attentif à l'Esprit Saint et trouver, à travers de nouvelles initiatives, des sources et des vocations nouvelles.»

Il faut oser aller de l'avant, créer du neuf, avec discernement. L'histoire de l'Église est une histoire de renouveau constant; de nouvelles familles naissent, de nouvelles spiritualités apparaissent. Ce renouveau dérange ce qui existe; il y a toujours des résistances face à de nouvelles idées, de nouvelles communautés, de nouvelles façons de faire. Comment éviter que la gestion de ce qui existe n'étouffe pas le neuf?

L'Évangile révèle l'opposition totale qui existe entre Dieu et Mammon. Dans une communauté de foi, soit on accepte une certaine pauvreté et insécurité pour que Dieu puisse agir, soit on refuse cette dépendance, cette faiblesse, cette pauvreté, et on cherche à avoir les moyens de tout contrôler: c'est Mammon.

Cette ouverture et cette confiance en Dieu qui nous conduit, dont parle Isaïe, s'appliquent à toute communauté qui veut accueillir les pauvres:

> Ne crains pas car je t'ai racheté.
> Je t'appelé par ton nom et tu es à moi.
> Si tu traverses les eaux je serai avec toi,
> et les rivières, elles ne te submergeront pas.
> Si tu passes par le feu, tu ne souffriras pas
> et la flamme ne te brûlera pas.
> Car je suis Yahvé, ton Dieu,
> le Saint d'Israël, ton sauveur...
> Car tu comptes beaucoup à mes yeux,
> tu as du prix et je t'aime...
> Ne crains pas, car je suis avec toi.
>
> (*Isaïe* 43, 1-5)

Jésus nous appelle à vivre de cette confiance totale, à nous laisser guider par Dieu:

Ne vous inquiétez pas pour votre vie
de ce que vous mangerez,
ni pour votre corps, de quoi vous le vêtirez.
Car la vie est plus que la nourriture,
et le corps, plus que le vêtement.
Considérez les corbeaux:
ils ne sèment ni ne moissonnent;
ils n'ont ni cellier ni grenier,
et Dieu les nourrit.
Combien plus valez-vous que les oiseaux...

Si, dans les champs, Dieu habille de la sorte
l'herbe qui est aujourd'hui
et demain sera jetée au four,
combien plus le fera-t-il pour vous,
gens de peu de foi!
Vous non plus, ne cherchez pas
ce que vous mangerez
et ce que vous boirez; ne vous tourmentez pas.
Votre Père sait que vous en avez besoin.
Aussi bien, cherchez d'abord le Royaume,
et cela vous sera donné par surcroît.
Sois sans crainte, petit troupeau,
car votre Père s'est complu
à vous donner le Royaume.

(*Luc* 12, 22-24. 27-32)

Nous devons nous laisser conduire par Dieu. Il marche avec nous. Il nous accompagne sur le chemin. Il y a dans l'Arche quelque chose de l'ordre de l'impossible: vivre durablement avec des personnes faibles et pauvres, se laisser déranger par elles, créer communauté avec elles. C'est insupportable! Cela va à l'encontre de notre égoïsme foncier. L'amour est impossible! Mais Dieu manifeste sa gloire en rendant l'impossible possible. C'est dans cet impossible que Dieu se manifeste et que nous sommes témoins de sa résurrection, de son amour de Père pour les petits et les pauvres.

Aujourd'hui, beaucoup de communautés de l'Arche ont l'argent nécessaire pour fonctionner. Cet argent vient en partie de dons plus ou moins réguliers. La Providence veille. Mais l'Arche manque d'assistants. Parfois les assistants présents sont à la limite de leurs possibilités pour faire fonctionner le foyer et la communauté. La tentation est grande d'embaucher des personnes qui viennent pour un salaire et non pour vivre l'Arche. Au début, je croyais que ce manque d'assistants venait du fait que l'Arche était jeune et peu connue. Je crois aujourd'hui que ce manque fait partie intégrante de notre vie. Il nous dérange et nous fatigue, mais nous oblige à une ouverture et à une qualité d'accueil constantes. Une communauté qui accueille des pauvres sera toujours pauvre. Nous aimerions tellement avoir de nombreux assistants qui soient parfaits. Nous aimerions être en sécurité, mais il n'en sera jamais ainsi. Notre faiblesse ressemble à celle du peuple d'Israël: pour vivre et survivre il nous faut non seulement une qualité d'amour et de foi, mais aussi une pauvreté qui nous rend dépendants de Dieu. Ce n'est que comme des enfants, dépendants de l'amour de leur Père, attendant tout de lui, que nous pourrons continuer notre route. «Bénis les pauvres de cœur, le Royaume des cieux est à eux.»

Visite de Jean-Paul II lors d'une rencontre des prêtres de l'Arche

V

Une spiritualité qui s'inscrit dans l'Église

L'Arche dans le peuple de Dieu

Quand Yahvé appela Moïse sur le mont Horeb, il lui dit:

> J'ai vu, j'ai vu la misère de mon peuple qui est en Égypte. J'ai entendu son cri devant ses oppresseurs; je connais ses angoisses. Je suis descendu pour le délivrer de la main des Égyptiens et le faire monter de cette terre vers une terre plantureuse et vaste, vers une terre qui ruisselle de lait et de miel... Maintenant va, je t'envoie auprès de Pharaon, fais sortir d'Égypte mon peuple.
>
> (*Exode* 3)

La Bible nous fait découvrir comment Dieu agit envers son peuple. Elle nous permet de connaître cet amour de Dieu révélé en Jésus, le Verbe fait chair.

Toute l'histoire sainte — depuis la Genèse, en passant par Abraham, Moïse et tous les prophètes jusqu'à la vie de Jésus, sa mort et sa résurrection, la descente du Saint Esprit sur les disciples et les débuts de l'Église — est la révélation d'un Dieu qui veille sur l'humanité et veut la conduire à la liberté intérieure et à la paix. Mais l'histoire sainte est aussi l'histoire d'un peuple qui a peur de Dieu, qui se laisse séduire par la richesse et l'orgueil, qui se détourne de cet amour, de cette force que Dieu veut lui communiquer pour le transformer en instrument de paix et d'amour.

Nous sommes tous aimés de Dieu, mais l'Évangile nous révèle que les pauvres, les faibles et les exclus de la société humaine ont une place privilégiée dans son cœur. Comme il a envoyé Moïse pour libérer son peuple de l'esclavage, Dieu appelle et envoie des assistants à l'Arche pour accueillir ceux et celles qui sont opprimés et souffrent du rejet à cause de leur handicap mental. Dieu ouvre le cœur des assistants au cri et aux angoisses de ce petit peuple. Et le mystère est que ce petit peuple les transforme, les évangélise et les appelle à pénétrer au cœur de la bonne nouvelle.

Jésus, nouveau Moïse, est venu conduire son peuple vers le Père, lui montrant le chemin de l'amour et du pardon. Il est venu donner à ses disciples l'Esprit Saint, le Paraclet, l'Esprit de Vérité, afin qu'ils puissent sortir de leurs prisons d'orgueil et d'égoïsme et ouvrir leurs cœurs à l'amour universel. Mais pour recevoir ce don de l'amour et cette force nouvelle dans l'Esprit Saint, il faut avoir confiance. C'est cela la foi: avoir confiance dans les promesses faites par Jésus à son peuple et à son Église.

Depuis les débuts de l'Église, l'Esprit Saint a été donné au peuple de Dieu pour le conduire. À travers les siècles, la bonne nouvelle a été annoncée aux pauvres, une vie nouvelle a été répandue dans les cœurs. Mais il y a eu aussi des luttes pour étouffer la bonne nouvelle et détourner le peuple de Dieu de la vérité qui dérangeait les puissants et les forts. Les pauvres en ont souvent été tenus à l'écart.

La spiritualité de l'Arche s'inscrit dans l'Église, Corps du Christ. Nous sommes appelés à vivre de l'espérance de tous les chrétiens et les chrétiennes, à recevoir les dons de Dieu comme tous les disciples et à participer au mémorial de la Pâque — la mort et la résurrection de Jésus — vécu dans l'eucharistie. Nous sommes appelés à vivre de la Parole de Dieu, du Corps du Christ, appelés à vivre en communion avec Jésus comme lui vit en communion avec son Père.

La spiritualité de l'Arche est un chemin parmi d'autres pour aller vers le Père, pour vivre les Béatitudes et l'Évangile de Jésus. Pour les vivre pleinement, il s'agit d'être uni au Corps du Christ qui est l'Église et à ses pasteurs. Il s'agit de coopérer avec eux afin de partager avec tout le Corps le don qui nous a été fait et de recevoir de ce Corps d'autres dons. Il s'agit d'être solidaire de ce Corps, de se réjouir des dons de Dieu manifestés en lui et de reconnaître humblement ses médiocrités, sans le juger ni le condamner.

L'Arche ne veut ni ne doit se fermer sur elle-même. Elle veut être membre à part entière de l'Église. La présence dans nos communautés de prêtres et de personnes qui exercent un ministère pastoral en est un des signes. Si vite dans nos communautés on peut oublier les promesses de Jésus! Il est facile d'être tellement pris par le quotidien qu'on ne reconnaît plus la personne souffrant d'un handicap comme signe de la présence de Dieu. On oublie l'essentiel: la communion, l'alliance qui nous sont données en Jésus. La matière et le corps, au lieu d'être des instruments de grâce et de communion avec Jésus, prennent toute la place. Au lieu de s'appuyer sur Jésus, on s'appuie sur ses propres forces ou sur ses propres colères et dépressions. Au lieu de créer une communauté fondée sur les pauvres, signes de l'amour de Dieu, on crée une petite institution qui cherche la sécurité et la reconnaissance. Les œuvres de Dieu peuvent vite être «récupérées», les signes de Dieu étouffés. L'Arche a besoin de boire à la source de vie de l'Église, pour être témoin de l'Évangile.

Nos communautés veulent prendre leur place dans leur environnement, être ouvertes aux voisins et aux amis. Elles veulent être insérées dans leurs paroisses, leurs Églises locales. Les paroisses sont des cellules d'Église. Il faut œuvrer pour qu'elles soient belles, vivantes et profiter de toute la richesse qui s'y vit. Nous avons à prendre notre place dans les Églises locales, à être ouverts, à témoigner par notre vie ensemble que l'amour est possible et que la personne souffrant d'un handicap a un don à offrir. Nous avons à recevoir avec émerveillement le don des autres et à être en communion avec les différentes autorités religieuses.

Chrétiens divisés mais en communion

L'Arche est une communauté chrétienne, mais beaucoup de ses membres arrivent peu ouverts à la foi chrétienne. Si certains sont des personnes de foi, qui aiment les célébrations liturgiques, d'autres ne sont pas attirées par une pratique religieuse régulière. Chacun est appelé à trouver son chemin au niveau de la prière et de la communion avec Dieu; chacun, où qu'il en soit sur ce chemin, est encouragé à s'ouvrir aux autres dans une vie fraternelle faite de partage, d'accueil, de bonté et de pardon. La diversité est une richesse. L'important est de créer un milieu de vie où chacun puisse croître à son rythme dans l'amour et la paix intérieure.

En 1969 naissait à Toronto (Canada) une communauté de l'Arche, fondée par un couple anglican, Steve et Ann Newroth. En 1970, une communauté a été fondée en Inde, à Bangalore, par Gabrielle Einsle. Une dimension interconfessionnelle et interreligieuse nous a ainsi été donnée au tout début de l'Arche. Nous avons accueilli des personnes avec un handicap mental parce qu'elles souffraient du rejet et non parce qu'elles appartenaient à une foi religieuse spécifique. Cela nous a conduit sur le chemin de l'œcuménisme et du partage interreligieux. La spiritualité de l'Arche implique un amour respectueux de l'autre tel qu'il est, avec ses valeurs et sa foi. Il s'agit d'aider chacun à grandir dans une acceptation de lui-même et de sa réalité, dans l'amour de Dieu et des autres. Et parce que l'Arche ne veut pas être «à part», chacun doit être intégré, selon ses désirs et ses possibilités, dans sa propre Église ou tradition de foi.

En essayant d'être attentive aux besoins humains et spirituels de chacun de ses membres, l'Arche a été progressivement introduite dans le dessein d'unité de Dieu: l'unité de toute l'humanité et l'unité de tous les chrétiens. La soif de Jésus est que tous soient un, comme le Père et lui sont un. Les divisions, qui dégénèrent en oppression, en haine et en guerres, blessent le cœur de Dieu. Les personnes souffrant d'un handicap nous montrent le chemin de l'unité qui est accueil, réconciliation et pardon.

Quand l'Arche est née en terre musulmane ou en terre hindoue, j'ai réalisé que les larmes et les souffrances d'une maman devant son enfant avec un lourd handicap sont les mêmes, quelle que soit sa religion. Nous appartenons à une humanité commune. Nous sommes tous le peuple de Dieu. Nous avons tous un cœur vulnérable, capable d'être aimé et d'aimer. Nous pouvons tous grandir dans l'amour en nous libérant progressivement des prisons qui nous enferment en nous-mêmes.

Cette vocation d'unité est exigeante. Elle implique une maturité du cœur pour accueillir et respecter l'autre dans sa foi propre en découvrant tout ce qui nous unit au-delà de nos différences. Ce n'est possible que si nous sommes profondément ancrés dans l'amour de Dieu et que nous rejoignons le cœur de l'autre avec respect et amour.

Grandir dans l'amour

La spiritualité de l'Arche est à la fois profondément humaine et divine. Elle est comme une graine semée par Dieu dans la terre de nos êtres. La terre doit être labourée, la semence arrosée et nourrie. Si la terre est trop dure, la semence ne pourra pousser.

Vivre à l'Arche est exigeant. Accepter de quitter sa famille, sa profession, renoncer à la liberté de faire ce qu'on veut, est déjà difficile. Mais demeurer fidèle à travers les années est encore plus pénible. Comme toute vie chrétienne, c'est une croissance continue dans l'amour qui implique un don de Dieu mais aussi l'acceptation d'être sans cesse taillé. Chacun de nous, au fil des années, a accumulé des systèmes de défense et des préjugés pour se protéger des autres et de la souffrance. Chacun de nous, au plus profond de son être, a des peurs cachées qui gouvernent plus ou moins consciemment ses actions et ses pensées. Chacun a ses blocages qui l'empêchent d'aimer certains et qui l'attachent à d'autres. L'œuvre de Dieu est de nous tailler, de nous émonder, de défaire nos systèmes de défense, pour que notre cœur soit docile à l'Esprit Saint et à l'amour divin. L'œuvre de Dieu est de pénétrer progressivement dans notre monde inconscient, ce monde de culpabilité, de ténèbres, de confusion et d'angoisse, pour nous libérer et faire de nous des êtres unifiés.

Le chemin est long. Trouver l'unité en nous pour être source d'unité pour d'autres. Accueillir nos blessures pour accueillir celles des autres. Laisser tomber nos masques et nos barrières, et nous accepter tels que nous sommes, avec nos limites et nos pauvretés, pour pouvoir nous accepter mutuellement. Pour pouvoir continuer à marcher sur ce chemin, il faut être à écoute de l'appel de Dieu, des promesses de Jésus, et faire des choix qui impliquent deuils et renoncements.

Peu de personnes souffrant d'un handicap mental ont décidé de venir à l'Arche. Elles n'avaient pas le choix. Peu à peu, elles ont accepté cette vie communautaire qui, nous l'espérons, correspond à leurs besoins profonds. Certaines, avec le temps, arrivent à choisir l'Arche, comme Michel qui a dit un jour: «Je pourrais m'appeler "Michel Arche" car l'Arche m'a donné la vie.»

Un certain nombre d'assistants viennent à l'Arche appelés par Dieu à vivre une alliance avec les personnes. D'autres viennent pour vivre une expérience plus ou moins longue et donner un sens à leur vie. Petit à petit, ils découvrent le monde de la tendresse et la foi dans l'Évangile; leurs cœurs sont touchés. Ils quittent l'Arche transformés pour continuer leur route ailleurs. Ceux qui ont la vocation de vivre à l'Arche découvrent dans les personnes avec un handicap une source de vie, un trésor de tendresse. Jésus parle du Royaume des cieux comme d'un trésor caché dans un champ; celui qui découvre ce trésor vend tout pour acheter le champ.

Pour grandir dans l'amour, pour demeurer fidèle à Jésus caché dans le pauvre et fidèle à cette vocation d'unité, il s'agit d'avoir une discipline, de choisir les moyens nécessaires, comme pour tout sportif qui veut arriver au but. On ne peut demeurer fidèle qu'en se nourrissant de l'Évangile, du Corps de Jésus, de cette communion avec lui qu'est la prière et en profitant de tout ce que les maîtres spirituels à travers les âges nous offrent pour nous conduire à Dieu. Il y a tant d'embûches sur le chemin! Il est nécessaire d'être guidé par un accompagnateur sage.

Certains assistants se sentent appelés à vivre leur vocation avec une compagne ou un compagnon de vie; ils fondent une famille. Sans vivre dans un foyer avec les personnes souffrant d'un handicap, ils sont pleinement membres de la communauté. Leur alliance de couple est fortifiée et nourrie par l'alliance avec le pauvre dans la communauté.

D'autres assistants sentent un appel à vivre le célibat dans l'Arche, pour être unis à Jésus et aux personnes souffrant d'un handicap qui ne peuvent se marier. Ils partagent leur vie au foyer, mangeant à la même table. Leur union à Jésus, leur désir de le servir sur un chemin d'Évangile à l'Arche, en renonçant au mariage, grandit à travers la prière et la relation avec les personnes faibles. Leur célibat est imprégné de l'amour des personnes. D'autres assistants ne sentent pas d'appel au célibat; cet état leur pèse. Ils vivent mal leur solitude. Ils sont par là solidaires de certaines personnes avec un handicap qui elles aussi vivent difficilement leur célibat.

Chaque assistant poursuit son chemin, soutenu et aidé par la présence des personnes avec un handicap et par l'alliance qui les lie ensemble. L'amour, la confiance, l'appel des personnes faibles sont comme des repères qui gardent chacun sur le chemin de l'amour.

CONCLUSION

Les communautés de l'Arche révèlent le paradoxe de toute faiblesse et de toute pauvreté. Ce qu'on rejette, ce qu'on met de côté, peut devenir chemin de grâce, d'unité, de libération et de paix.

Les êtres humains sont attirés par la lumière, la réussite, la richesse et le pouvoir; par ce qui est brillant et grand. Ils rejettent ce qui est laid et pauvre. En montant dans la hiérarchie de la société, ils deviennent de plus en plus seuls et doivent se défendre, se cacher et se protéger. Ils ont peur, et la peur des autres procède souvent d'un manque d'amour et de confiance. Ils perdent le sens de la solidarité humaine et se coupent des pauvres. Le rejet révèle les ténèbres, les préjugés, la grande pauvreté de leurs cœurs. S'ils s'approchent de ceux qui ont été rejetés, c'est le début d'un chemin de libération.

Le Verbe s'est fait chair. Il a caché la gloire de sa divinité en devenant l'un de nous. Il a partagé nos besoins, en particulier celui d'être aimé; il a partagé nos souffrances. Il s'est fait pauvre. Il a pris la voie descendante et s'est dépouillé pour nous montrer un chemin de communion et d'amour.

À l'Arche, nous voulons suivre Jésus sur ce chemin de petitesse, d'humilité et de confiance. Nous croyons que ce chemin est un chemin de libération et de joie. La spiritualité de l'Arche est un chemin d'amour, d'amitié avec les personnes pauvres et faibles. Nous sommes appelés à vivre avec elles une vie communautaire humble et pauvre, au nom de Jésus. En mangeant ensemble à la même table, nous découvrons la béatitude promise par Jésus. «Lorsque tu donnes un festin, invite des pauvres, des estropiés, des boiteux, des aveugles; heureux seras-tu alors» (*Luc* 14, 13).

Dans l'Église, chaque personne et chaque communauté sont appelées à vivre un des aspects de la vie de Jésus. Certains, comme les apôtres, sont appelés à annoncer la bonne nouvelle partout dans le monde; d'autres, à guérir les malades; d'autres, à enseigner; d'autres encore, à être les bergers du troupeau de Dieu. Notre rôle à l'Arche est de vivre comme Jésus à Nazareth, une vie simple et pauvre, ouverte aux voisins, ouverte à ceux et celles qui souffrent. Jésus a vécu vingt-huit ans cette vie cachée. Il vivait humblement avec les humbles, mangeant à la table des pauvres, travaillant de ses mains. Et dans cette vie humble, Marie et Joseph étaient là.

Durant la vie publique de Jésus, Marie n'est guère présente. Ce sont les apôtres qui ont la première place autour de lui. Il n'en est pas ainsi à Nazareth ni à la croix. Là, c'est Marie qui est proche de Jésus par le cœur. Elle est la femme aimante, silencieuse, fidèle, qui vit communion et tendresse avec Jésus. À l'Arche, nous sommes appelés à participer à cette vie de Nazareth: être signes de l'amour dans un monde brisé et souffrant. Nous sommes aussi appelés à participer au mystère de la compassion de Marie pour Jésus souffrant et rejeté, en étant proches des personnes crucifiées, angoissées, rejetées, qui ne guériront jamais.

Comme le peuple hébreu à travers le désert, l'Arche est un peuple en marche. Il nous faut toujours repartir et nous laisser déranger, étonner. Depuis plus de 30 ans, nous avons découvert bien des aspects de l'Évangile qui, jusque-là, nous étaient voilés. Notre spiritualité, cette alliance avec le pauvre, est un mystère que nous n'avons jamais fini de contempler. En continuant notre chemin, nous découvrirons et vivrons d'autres aspects de ce mystère qui est celui de l'incarnation et de la communion avec Jésus caché dans le pauvre.

Table des matières

Du même auteur

Bellarmin/Fleurus

Disciples de Jésus, 1977
Ma faiblesse, c'est ma force, 1977
La communauté, lieu du pardon et de la fête, 1978 (nouvelle édition 1989)
Ne crains pas, 1978
Homme et femme il les fit, 1984
Ouvre mes bras, 1988
Ton silence m'appelle, 1988
Jésus, le don de l'amour, 1994

Bellarmin/De l'Atelier

Une porte d'espérance, 1993

Anne Sigier

Je rencontre Jésus, 1981
Je marche avec Jésus, 1985

Fayard

Le corps brisé, 1988

Plon

Toute personne est une histoire sacrée, 1994

Pour plus de renseignements sur l'Arche et des brochures de Jean Vanier:

La Ferme
B.P. 35
60350 Trosly-Breuil (France)

Collection L'Arche

Déjà parus

L'histoire de l'Arche: des communautés à découvrir –
Jean Vanier

La spiritualité de l'Arche: une présence au quotidien –
Jean Vanier

Sujets à venir

La croissance spirituelle et personnelle – Sue Mosteller

Le service: le lavement des pieds – Jean Vanier

L'Arche et le tiers-monde – Robert Larouche

L'accompagnement – Claire de Miribel

L'œcuménisme – Thérèse Vanier